Luciano De C

IL PRESSAPPOCO

Elogio del quasi

MONDADORI

www.librimondadori.it

ISBN 978-88-04-55294-9

Indice

Il pressappoco

I

Elogio del pressappoco

Il pressappoco non è solo un avverbio, è anche un modo di intendere la vita. Io amo gli uomini che amano il pressappoco e odio, o per meglio dire non mi sono simpatici, quelli che hanno le certezze assolute. Detto con parole ancora più semplici, amo tutti quelli che parlano, che ascoltano e che usano le paroline "quasi", "forse" e "circa" una frase sì e una no. In pratica, amo quelli che attendono qualche secondo prima di parlare e che di tanto in tanto cambiano parere.

Ieri ho incontrato una donna che mi è sembrata pressappoco bella, poi, quando ci siamo salutati, mi è sembrata ancora più bella di prima. Chissà perché, mi sono chiesto, non me ne sono accorto subito. Sarà stato per il caffè che ci siamo presi insieme, seduti a un tavolino del bar in largo Corrado Ricci. Per qualche minuto siamo rimasti l'uno di fronte all'altra, poi è arrivato il cameriere e io l'ho guardata con maggiore attenzione. Alla fine, quando se n'è andata, ho capito che era più bella di prima. *Ergo*: prima di emettere un giudizio bisognerebbe attendere.

Chi ama il pressappoco è quasi sempre una brava persona più disposta ad ascoltare che a parlare. I grandi fetenti, invece, gli Hitler e gli Stalin, non erano capaci di restare in silenzio. Loro preferivano dare ordini. Pazienza, poi, se a seguito di questi ordini qualche milione di persone ci rimetteva la pelle. Hitler, in particolare, odiava chiunque fosse ebreo senza nemmeno chiedersi perché lo odiasse tanto. L'idea, però, di farlo fuori insieme a un altro milione di suoi simili, gli procurava un piacere molto simile all'orgasmo.

Quando incontro qualcuno che non conosco, la prima cosa che mi chiedo è se ho a che fare con un "pressappochista" o con un "assolutista", dopodiché mi regolo di conseguenza. Fisicamente parlando, l'assolutista ha lo sguardo opaco. Raramente guarda negli occhi la persona che ha di fronte e quando esprime un concetto non impiega mai più del tempo strettamente necessario. Lui, il maledetto, ha già tutte le risposte preconfezionate e non vede l'ora di sbatterle in faccia a qualcuno. L'unica cosa che gli dà fastidio è il dubbio, sia il suo sia quello degli altri.

Riassumendo, a forza di frequentare il prossimo, è nata dentro di me la filosofia del pressappoco.

Ora, però, per non fare confusione, elencherò qui di seguito, e sempre in ordine di pericolosità, i principali nemici del pressappoco. A ciascun gruppo, poi, dedicherò un breve pensiero.

Essi sono: i religiosi, i politici, gli innamorati e i tifosi di calcio.

I religiosi

Se oggi il mondo corre qualche pericolo è solo per colpa dei religiosi. Non a caso gli islamici sono i primi a essere sospettati di terrorismo. Nella storia del nostro passato, la maggior parte dei morti ammazzati è da addebitare a una qualche religione. Noi italiani all'epoca delle crociate chiamavamo infedeli loro, gli orientali, e loro, gli orientali, per non essere da meno, chiamavano infedeli noi, gli occidentali, con il risultato di ammazzarci a vicenda in nome di

Dio. Come ultimo esempio cito l'attuale conflitto tra israeliani e palestinesi. Entrambi i popoli credono in Dio. L'unica differenza sta nel fatto che i primi lo chiamano Jahvè e i secondi Allah. A nessuna delle due parti in causa, però, viene in mente che se un Dio esiste è anche lo stesso, sia per gli uni sia per gli altri, ragione per cui farsi la guerra in suo nome è come litigare per una questione di cognome.

I politici

"Cumannare è meglio che fottere" dicono i siciliani. Difatti ai politici piace più il potere che l'amore.

Pur di poterlo gestire, sarebbero disposti a scendere a qualsiasi bassezza, fosse anche quella di dichiarare guerra a un popolo formato in massima parte da anziani, donne e bambini. In politica non si va tanto per il sottile: quando non si è capaci di avere un folto seguito di amici, è sufficiente avere almeno un folto gruppo di nemici. Più nemici si riescono a mettere insieme, più aumenta il proprio potere.

Gli innamorati

Paragonati ai precedenti, non raggiungono mai i loro livelli, anche se spesso e volentieri finiscono col perdere il lume della ragione. A ben vedere, la tragedia greca altro non sarebbe che un continuo elenco di delitti consumati in nome dell'amore, e tanto per ricordarne uno citiamo quello che "infiniti addusse lutti agli Achei", cioè l'amore di Paride per Elena. A essere obiettivi Elena non aveva nessuna colpa di tutto quello che sarebbe accaduto dopo: a stabilire che avrebbe lasciato Menelao per Paride erano stati gli Dei, e tutto questo con l'unico scopo di far scoppiare una guerra degna di questo nome. Si dice che l'amore renda ciechi, a volte, però, diciamo la verità: rende anche stupidi.

I tifosi

Basta andare in un qualsiasi stadio di calcio durante un derby per rendersi conto di come sia fatto un tifoso. Una volta, durante un derby Roma-Lazio, ho visto un tifoso laziale mordere l'orecchio di un romanista, che a sua volta aveva sferrato un calcio al basso ventre del laziale. Il vero tifoso lo si riconosce da come legge il giornale. Guarda solo gli articoli che parlano della sua squadra e ignora qualsiasi altra notizia, fosse anche quella della morte di un grande atleta appartenente a un'altra disciplina.

Sulle origini del pressappoco

Innanzitutto, mi chiedo come si scriva la parola, con una sola "p" o con due? Ho letto sullo Zingarelli che sono ammesse entrambe le dizioni, anche se quella con due "p" è di gran lunga la più usata. Detto in altro modo, il pressapoco con una sola "p" sarebbe il pressappoco del pressappoco, quello con due "p". L'espressione è l'accostamento di due concetti antitetici: il primo violento come il "pressare" e il secondo affettuoso come il "poco". È compito di chi parla mettere in evidenza quale dei due aspetti sia il suo preferito.

Per il sociologo Domenico De Masi la razionalità è una retta e il pressappoco è una curva, e a questo proposito ecco cosa scrive nel suo libro *La fantasia e la concretezza*: "Il mondo del pressappoco deve essere visto come la metafora dell'umanesimo, dell'arte, della poesia, dell'emotività e dell'estetica". Poi conclude dicendo che "la storia del mondo altro non è che lo scontro continuo di una linea retta con una linea curva, la prima in quanto immagine dell'assoluto e la seconda in quanto simbolo della flessibilità". La curva, infatti, proprio per la sua disponibilità a cambiare direzione, è la più adatta a venire incontro alle difficoltà esterne.

Il pressappoco ha vissuto in grazia di Dio fino all'inizio del Settecento, fino a quando, cioè, la tecnica non ha prevalso sulla poesia. I greci e i romani lo praticarono a lungo proprio perché anteponevano le esigenze dello spirito a quelle della meccanica. Aristotele e Platone arrivarono a dire che nella tecnica tutto quello che c'era da inventare era stato già inventato e che tanto valeva dedicarsi all'anima. Loro (sto parlando dei greci e dei romani) per certi lavori avevano gli schiavi e si potevano permettere il lusso d'ignorare la tecnologia.

Oggi, invece, il pressappoco è considerato un peccato da quasi tutti i popoli occidentali e in particolare dagli americani. Negli Stati Uniti un lavoro eseguito con una certa approssimazione viene giudicato al pari di un crimine. Chi ha lavorato, come il sottoscritto, in una multinazionale, sa fino a che punto può essere pericoloso ai fini della carriera essere un "pressappochista". Una volta alla IBM mi giocai la promozione solo perché consegnai un progetto con due soluzioni diverse: una più tecnica, e quindi più costosa, e un'altra più semplice, e di conseguenza più economica. Lo feci solo per dar modo al cliente di scegliere, tra le due soluzioni, quella che a lui poteva risultare più conveniente. Non l'avessi mai fatto: il mio capo, il mai abbastanza odiato ingegnere Martinelli, mi fece un cazziatone terribile che mi costò, oltre alla promozione, l'aumento di stipendio.

II

Il pressappoco dell'amore

Il pressappoco dell'amore è il voler bene. E mentre quasi tutti i pressappoco sono inferiori ai loro master, quello del "voler bene" è di gran lunga il più importante. Si tratta insomma di due sentimenti diversi, stavo per dire opposti, appartenenti il primo all'assoluto e il secondo al pressappoco. La principale differenza tra i due stati d'animo sta nel fatto che hanno una durata diversa: l'amore col passare del tempo diminuisce (a Napoli diciamo si ammoscia), il voler bene invece aumenta, magari solo di un pochino, ma aumenta. Se avete un amico o un'amica da cinque o sei anni pensate a quanto gli volevate bene all'inizio e a quanto gliene volete adesso. Vi accorgerete subito che il bene è aumentato, magari di un'*anticchia*, ma è aumentato. In amore, il pressappoco è proibito perfino nominarlo. Guai a dire a una compagna: "Io quasi quasi ti amo". Ci toglierebbe subito il saluto.

Per spiegarmi meglio, racconterò la mia storia con Rosita Paraná, ragazza brasiliana di ventisette anni da me conosciuta durante una festa al Piper di Roma. Io all'epoca ero già "anziano". Avevo quasi cinquant'anni, ma mi piacevano ancora le donne, più di quanto mi piacessero quando ne avevo venti.

Per descrivere Rosita Paraná sono costretto a ricorrere a dei numeri, anzi a dei voti. Non a caso sono ingegnere. Comincerò con l'aspetto fisico. A essere proprio cattivi, Rosita aveva una media dell'otto e mezzo, se non del nove, e precisamente: nove per il viso, otto per il corpo e addirittura dieci e lode per le gambe. Quando la conobbi le avrei dato anche qualche cosina di più, se non altro per il viso che per me allora superava di gran lunga il nove. Ma si sa come vanno creati certi giudizi estetici. Nei primi dieci minuti la nostra attenzione viene catturata dal viso e siamo portati a sopravvalutarlo. Poi ci si abitua e si diventa un pochino più obiettivi. Il nove di Rosita era comunque strameritato e anche quando il tempo cominciò a lasciare i primi segni sulle sue guance, il minimo che le si sarebbe potuto dare era un otto e mezzo. Per apprezzarlo appieno, però, bisognerebbe mettersi all'angolo di una strada e dare un voto da uno a dieci a tutte le donne che ci passano davanti: i tre e i quattro si sprecherebbero, e prima di vedere un sette pieno potrebbero trascorrere anche delle ore.

Il crollo del *"mio amor"* ebbe inizio quando dal lato fisico passai a quello caratteriale: Rosita era gelosa al di là di ogni limite. Mi telefonava nel cuore della notte e alterando la voce fingeva di essere una sua amica per scoprire se nel frattempo io l'avessi tradita. A volte si nascondeva dentro una cabina telefonica di fronte a casa mia e controllava tutte le donne che entravano e uscivano dal portone. Poi, grazie a Dio, un giorno se ne tornò in Brasile e dopo nemmeno un mese mi telefonò per dirmi che si era innamorata di un giovane pittore di Rio de Janeiro e che da lì a poco si sarebbe anche sposata.

«Tu adesso mi odierai» mi disse, «ma sappi che sono *mucho mucho enamorada. Perdonami por favor*.»

Io la perdonai.

Ebbene, se c'è qualcosa di cui sono davvero orgoglioso è di volere ancora bene ai tre grandi amori della mia vita, e precisamente a Giuliana, a Gilda e a Isabella.

Ora ve le presento.

Giuliana

Giuliana la conobbi nel 1947: lei stava in prima liceo classico e io al terzo anno. Ci demmo un migliaio di baci e forse anche di più, ma non andammo mai oltre, anche perché a quell'epoca non era consentito alcuno sconfinamento. Tanto per dirne una, io non l'ho mai vista nuda e lei non ha mai visto nudo me. Per quanto mi ricordi, non ho mai messo una mano sotto i suoi vestiti. Poi, di recente, grazie all'aiuto di un amico che lavorava all'anagrafe di Napoli, sono riuscito ad avere il numero di telefono del figlio che a sua volta mi ha dato quello della madre. Oggi Giuliana vive in California. Le ho telefonato.

Ecco grosso modo quello che ci siamo detti:

«Ciao Giuliana, sono Luciano, il tuo primo amore.»

Lei si è commossa da San Francisco. Io mi sono commosso da Roma.

«Ti vorrei vedere» le ho detto.

«Mai e poi mai» ha risposto lei. «Ti devi ricordare di me come'ero quando avevo sedici anni. Tutt'al più ti manderò una mia foto di allora.»

Gilda

Il secondo grande amore è stata Gilda, mia moglie. Ci siamo sposati nel '61 e lasciati nel '65, ma ci siamo sempre voluti bene, e ancora oggi, almeno lo spero, ce ne vogliamo. Abbiamo fatto anche due crociere insieme a separazione già avvenuta. Cabine separate, ovviamente, ma ogni sera abbiamo visto il tramonto l'uno accanto all'altra.

Oggi ci si incontra di tanto in tanto e non ho mai trascorso un solo Natale senza festeggiarlo insieme a lei, a mia figlia Paola e al nostro nipotino Michelangelo.

Isabella

Il terzo grande amore della mia vita si chiama Isabella. Lei passava (e passa ancora) per essere una delle donne più belle del mondo, ma io, in verità, non me ne sono mai accorto. Se proprio devo farle un complimento direi che è intelligente. A suo tempo ci siamo dati anche dei baci, ma mai con la lingua. Oggi Isabella vive a New York e ci si telefona a turno: una settimana tocca a lei e una settimana tocca a me. Se mi promettesse di non tornare mai più in Italia, sarei anche disposto a sposarla. Per Isabella Rossellini ho coniato questa frase: "Amo il tuo posto vuoto accanto al mio". Insomma, ci amiamo pressappoco, il che vuol dire moltissimo.

Il quarto amore

A dirla tutta, ci sarebbe stato anche un quarto amore, ma non è mai cominciato. Lei abita di fronte a casa mia, a un secondo piano. Io sto a un terzo e la vedo dall'alto. Non ci siamo mai rivolti la parola, ma sono sicuro che sa di piacermi. Qualche volta l'ho incontrata al supermercato di via Madonna dei Monti. Non credo che abbia un fidanzato. Una sola volta l'ho vista insieme a un uomo, ma era un gay. Avessi una trentina d'anni di meno, giuro che ci proverei.

Il voler bene può resistere alla gelosia. Io da giovane ci ho provato. Lei si chiamava Caterina e sarebbe stata perfetta se non si fosse invaghita di un cadetto della Nunziatella. All'inizio ci rimasi molto male, poi mi dissi: "Qui bisogna resistere". E così accadde che dopo un paio di mesi Caterina si accorse che il giovanotto era stupido. Nel frattempo però, grazie a Dio, io conobbi una sua amica, di due anni più anziana, e che, essendo nata a Milano, faceva anche all'amore. E sempre a proposito di milanesi ricordo quella canzone che diceva:

> Porta Romana bella, Porta Romana,
> ci son le ragazzine che te la danno.

Io all'epoca ero ancora ingenuo e ogni volta mi chiedevo: "Ma che cosa ti danno?". Poi un giorno fui trasferito dalla IBM di Napoli a quella di Milano e capii quale enorme differenza passava tra una napoletana e una milanese. Oggi sono uguali, ma un tempo erano diverse.

Quando mia sorella si fidanzò, io fui costretto ad accompagnarla sempre e dovunque, anche quando uscì con il futuro marito per comprare le bomboniere.

«Mi raccomando» disse mia madre, «non li lasciare soli nemmeno per un minuto.»

III

Il pressappoco del sesso

Tris kai tetrákis ton sferon labonton panta kaká feughetai. Traduzione approssimativa: "Tre o quattro volte toccandosi i genitali tutti i mali fuggono". Esatta o non esatta che sia la traduzione, ho sempre creduto che la masturbazione fosse un bene fisico e psicologico.

La masturbazione, diciamo le cose come stanno, rappresenta il pressappoco del sesso, e io, in qualità di esperto in materia, ne posso parlare con piena cognizione di causa. La mia prima "esperienza sessuale" è stata meravigliosa e sarebbe stata ancora più bella se fossimo stati in due. Dai quindici ai diciotto anni non ho fatto altro. Mi chiudevo nel buio della mia stanzetta e davo inizio a quello che all'epoca consideravo una pratica quasi religiosa, pensando a volte all'attrice Clara Calamai, che aveva mostrato il seno nudo all'attore Amedeo Nazzari nel film *La cena delle beffe*, e a volte a Ombretta De Santis, mia compagna di scuola di prima liceo.

Ombretta aveva il banco immediatamente dietro al mio, e io, fingendo di dover prendere la penna che mi era caduta, mi abbassavo quel tanto da poterle guardare le gambe.

Noi ragazzi degli anni Quaranta non sapevamo ancora che le donne avessero l'ombelico. Io, però, avendo visto una volta sola, e sottolineo una volta, Ombretta De Santis sopra una scala, tutta protesa a prendere un atlante geografico, sono andato avanti per quasi due anni con quell'immagine nella memoria. Era l'epoca in cui andava di moda la canzone:

> Ombretta sdegnosa
> del Mississippi,
> non far la ritrosa
> ma baciami qui.

E quel "qui", almeno per noi della terza C della scuola Umberto I di Napoli, era il posto più osceno che si potesse immaginare.

Masturbarsi, comunque, oltre che al morale, faceva male anche al fisico. Per un giovanotto di diciotto anni che amava inoltre emergere nei campionati campani di atletica leggera, una masturbazione consumata poche ore prima della gara voleva dire passare dal primo all'ultimo posto nell'ordine d'arrivo. Il mio allenatore, il professore Armando De Filippo (che Dio lo abbia in gloria), me lo aveva raccomandato un centinaio di volte: "De Cresce', se vuoi vincere negli ottocento metri, certe cose non le devi fare".

E io, pur di avere qualche speranzella in più, evitavo qualsiasi tentazione. Temevo perfino la cosiddetta polluzione notturna. Poteva accadere, infatti, che durante la notte facessi un sogno erotico con conseguente eiaculazione. Ebbene, onde evitare anche questo pericolo remoto, la sera precedente la gara, prima di andare a letto, mi legavo un asciugamano intorno alla vita in modo che il nodo finisse esattamente dietro la schiena. Sempre De Filippo mi aveva spiegato che la "schifezza" poteva aver luogo solo se la schiena stava molto al caldo.

Ora, bisogna sapere che negli anni Cinquanta era praticamente impossibile avere un rapporto erotico con una ragazza cosiddetta perbene. Sono stato fidanzato con mia moglie per quattro anni e mai una volta, dico una volta, l'ho vista nuda. Una sera, a Ponza, (per risparmiare) abbiamo anche dormito insieme nello stesso letto e neppure quella volta abbiamo fatto qualcosa di pratico. Il ragionamento era grosso modo questo: "Se stanotte facciamo l'amore e domani muoio, magari perché investito da un autobus, questa povera disgraziata, non essendo più vergine, non avrà altra alternativa che suicidarsi". Così almeno si pensava una volta. Per avere, quindi, un'esperienza sessuale significativa bisognava ricorrere alle straniere. Si andava a Capri e, grazie all'aiuto di un marinaio del posto soprannominato Bicipite (ma che in realtà si chiamava Antonio), riuscivamo ad avere un rapporto con una tedesca un po' avanti negli anni.

A proposito di Bicipite, lui veniva chiamato così perché una volta una pittrice milanese volle per forza fargli un ritratto sul genere di Maciste. Oggi Bicipite è molto anziano, ma racconta ancora la storia come se fosse accaduta ieri.

«Ingegne', quella era una pazza. Prima mi fece salire su uno scoglio e poi mi disse: "Mostrami il bicipite". E io ch'aveva fa'? Glielo feci vedere. Allora lei si mise a gridare.»

Oggi la masturbazione viene definita in vario modo. Dai medici è chiamata onanismo perché venne consumata per primo da un certo Onan, figlio di Giuda.

Per saperne di più bisognerebbe leggere la Bibbia al paragrafo 38,6-10 della *Genesi*, dove si racconta che Giuda avesse ordinato al suo secondogenito Onan di mettere incinta la moglie del fratello che era impotente. Onan, però, non volendo dare al fratello maggiore una discendenza che in qualche modo avrebbe potuto diminuire l'eredità dei suoi figli, ogni sera, prima di andare a letto, spargeva il proprio seme per terra.

Oggi, a seconda del paese o della regione dove si vive, la masturbazione viene definita con espressioni diverse: per esempio, dai romani è chiamata "spararsi le seghe" e da noi napoletani "farsi le pippe". Certo è che si tratta di un grande dono avuto da Nostro Signore. Se non esistesse, non si sa come farebbero certi individui orribili a procurarsi un minimo di piacere.

Nell'onanismo non è da sottovalutare il contributo fornito dal cervello. Non basta, infatti, il semplice contatto con l'organo genitale per portare a termine una buona masturbazione. È necessario anche un minimo di fantasia. La persona sulla quale... come dire... si lavora, è puramente immaginaria, e allora, se da un lato c'è il vantaggio di non doverla riaccompagnare a casa, dall'altro c'è lo svantaggio di non poterne ascoltare i gemiti durante il rapporto.

I nostri genitori, in accordo con i preti e con gli insegnanti di religione, ci avevano preannunciato la più totale cecità o quanto meno una miopia gigantesca. "Pazienza" rispondevamo noi, "ci compreremo gli occhiali."

Certo è che fino alla maggiore età abbiamo continuato a praticare la masturbazione senza alcuna paura.

Tra i tanti che hanno fatto ricorso alla masturbazione non va dimenticato il grande Tommaso Campanella. Si racconta, infatti, che una sera il filosofo, dopo essere stato torturato con il supplizio della corda, abbia visto una bella ragazza farsi il bagno nuda in una vasca. Ebbene, Campanella si eccitò a tal punto che, una volta andata via la bagnante, non solo s'immerse nella stessa acqua ma ne bevve un sorso per poi scriverci sopra la seguente poesia:

> Le mani, provvidenza che non erra,
> rivolsi a me stesso cortese e pio,

> tolsi l'acqua e applicaila al corpo mio,
> già fracassato da una lunga guerra
> e del medesimo liquor bevendo anch'io.
> Miracolo d'amor stupendo e raro!
> Cessò la doglia e diventai più forte,
> le piaghe e le rotture si saldaro
> sentendo in me le sue bellezze assorte.

So benissimo che non tutti sono d'accordo con questa interpretazione; io, però, leggendo il testo con un minimo di malizia, sono convinto che il nostro Campanella vide in quell'acqua il "medesimo liquor" che aveva bagnato la donna.

Adesso, però, per concludere, mi tocca raccontare quanto da me scritto a pagina 40 del libro *Vita di Luciano De Crescenzo* (Mondadori 1989):

Nella parrocchia di Santa Lucia c'era un gigantesco quadro del martirio di san Sebastiano. Ricordo ancora le corde che tenevano legato il santo, lo sguardo del martire rivolto verso il cielo e le frecce conficcate nel suo corpo come tanti aghi su un puntaspilli. In particolare, la freccia che più mi terrorizzava era quella che gli attraversava la gola.

Non si trattava di un capolavoro, ma non aveva nulla da invidiare al più raccapricciante film dell'orrore.

Don Attanasio, il parroco di Santa Lucia, poi, era ancora più terribile del quadro. Quando mi confessava, a parte il fatto che sbrigava tutta la faccenda in piedi, fuori dal confessionale, era solito andare subito al dunque. Mi puntava un dito contro e urlava: «Hai commesso atti impuri?».

«Sì.»

«Da solo o accompagnato?»

«Da solo.»

«Lo vedi a san Sebastiano?»

«Sì.»

«E allora ricordati che ogni volta che ti tocchi, grandissimo fetente che non sei altro, san Sebastiano viene colpito da una freccia. Ecco quello che sei: un farabutto, un disgraziato, una canaglia, un uomo di merda e un vigliacco, e adesso vattene che non ti voglio più vedere.»

«E la penitenza?»

«Tre Ave Maria per ogni freccia che ha colpito san Sebastiano.»

Le frecce erano otto, compresa quella alla gola. Tre per otto fa ventiquattro. Ventiquattro Ave Maria da recitare tutte in ginocchio e ad alta voce.

E non basta: per anni sono stato tormentato da san

Sebastiano, e ogni volta che ho fatto l'amore, proprio nel momento culminante, quello più bello, mi sono immaginato la gola di san Sebastiano e la sua stramaledettissima freccia.

IV

Il pressappoco del telefonino

Se c'è qualcosa che non ha niente a che vedere con il pressappoco è il telefonino. Due sono i casi: o è un mezzo insostituibile, o è una grande rottura di scatole. Faccio degli esempi e comincio con il primo caso.

Avete un appuntamento in un'altra città con una persona a cui tenete moltissimo. Purtroppo, avete perso il treno a causa del traffico. Il taxi non ce l'ha fatta. Avreste potuto avvisare la persona già dalla stazione di partenza, ma, maledizione e morte, il suo telefono, quello fisso, non risponde. E nemmeno i suoi amici rispondono. C'è solo il telefonino che vi può salvare. Ebbene, io di casi del genere ne potrei citare a migliaia: dall'avviso "Torna subito a casa che è scoppiato un incendio" al "So che stai a

New York, ma gli auguri per il compleanno te li voglio fare lo stesso".

Tutta la storia dell'umanità sarebbe cambiata se il telefonino fosse stato inventato prima. Consiglio a qualche storico, tipo il mio amico Lucio Villari, di scrivere un'opera in proposito.

Cominciamo con il dire che Napoleone non avrebbe perso a Waterloo. Lui aveva già sconfitto i prussiani quando fu accerchiato dagli inglesi. Chiamò il maresciallo Grouchy perché lo venisse a salvare con la cavalleria. Gli inviò il proprio attendente per avvisarlo, ma questi venne ucciso lungo il tragitto. Avesse avuto il telefonino, lo avrebbe avvisato immediatamente.

"Emmanue'" gli avrebbe detto, "io sto a Waterloo. Ho i prussiani di fronte e Wellington alle spalle. Vieni a darmi una mano."

Giulietta e Romeo non si sarebbero suicidati. Giulietta, sempre grazie al telefonino, avrebbe comunicato a Romeo che lei non era morta, ma che fingeva solo di esserlo. E Romeo, a sua volta, non si sarebbe ucciso per il dispiacere.

"Romeo" avrebbe detto Giulietta, "non fare il pazzo come al tuo solito! Guarda che non sono morta, ho preso semplicemente un sonnifero!"

E anche Egeo non si sarebbe suicidato. Lui aveva concordato con il figlio Teseo che se avesse ucciso il Minotauro avrebbe cambiato il colore alle vele: al posto delle nere avrebbe messo quelle bianche. Sennonché il giovanotto se lo dimenticò e quando Egeo vide arrivare la nave con le vele nere per il gran dolore si gettò da capo Sunio. Avesse avuto il telefonino tutto questo non sarebbe successo: Teseo, già all'uscita del labirinto, lo avrebbe avvisato.

"Papà, tutto bene: ho fatto fuori quel cornuto del Minotauro. Domani mattina o al massimo domani sera sto a casa."

Oggi il mare Egeo si chiamerebbe mare Telecom.

Ora l'esempio della rottura di scatole.

Prendo l'Intercity Roma-Napoli delle 10.30. Ho con me un libro piuttosto difficile da digerire: *Essere e tempo* di Martin Heidegger. Sono d'accordo: ho sbagliato libro. Per un viaggio Roma-Napoli andava meglio una cosina più leggera, un Forattini per esempio. Non avevo previsto, infatti, la presenza dei telefonini. Nel mio scompartimento ce ne sono tre e tutti e tre in funzione. Ho appena cominciato a leggere che squilla il primo telefonino, quello del signore che mi sta seduto accanto. In quel momento sono alle prese con quel brano di Heidegger dove il filosofo si chiede se l'essenza dell'essere coincide con la verità o con l'essenza della verità. Sento lo squillo e mi blocco. Dico a me stesso: "Voglio proprio vedere adesso questo scostumato che cosa ha da dire di tanto importante".

«Ciao cara» dice lo scostumato, «abbiamo appena superato Valmontone.»

Roba da non credere! Sono le 10.45 e siamo partiti alle 10.30. È normale, quindi, che abbiamo appena superato Valmontone! A me non sembra una notizia così importante da giustificare il disturbo arrecato a tutto lo scompartimento. Non faccio in tempo, però, a criticare il mio vicino che il giovanotto che mi sta di fronte viene anche lui chiamato da un telefonino. Costui inizia una conversazione piena di frasi sdolcinate con una non meglio identificata Deborah.

«Ciao Deborah» le dice accentuando l'"h". «Lo sai che ieri non sono riuscito a prendere sonno? E sai perché? Perché pensavo a te e a tutte le cose carine che mi avevi detto. Poi ti ho sognato e tu mi hai abbracciato come solo tu sai fare.»

Ora, dico io: tu devi comunicare a una persona dei pensieri piuttosto intimi; il minimo che ti si può chiedere è di andare in corridoio e dire tutto quello che vuoi: "Ti amo, ti adoro, ti desidero" e via dicendo. Quello che non puoi fare è rendere partecipi dei tuoi sentimenti tre estranei che ti stanno seduti di fronte.

Non faccio, però, in tempo a criticare il playboy che squilla il terzo telefonino: il peggiore di tutti. Il proprietario del medesimo, infatti, doveva essere un agente di Borsa o qualcosa del genere. Ora, bisogna sapere che io, grazie ai soldi guadagnati con la vendita dei libri, ho qualche problemino su come investirli. Sono quindi seriamente interessato a tutti gli andamenti della Borsa.

«No, quelli no» dice lo sconosciuto, «quelli scendono. Te l'ho già detto ieri che quelli scendono.»

"Ma quali?", avrei voluto chiedergli io.

«Per l'amor di Dio!» continua lui imperterrito facendo una faccia atterrita, «sono i peggiori di tutti! Basta leggere il "Sole 24 Ore" per capirlo.»

Io lo leggo il "Sole 24 Ore", ma non ho capito lo stesso.

«E allora» conclude il consulente «non ti resta che fare il giardinetto.»

La conversazione continua su questo tono, ma il nostro esperto non fa mai dei nomi, né nel bene né nel male. Parla solo di "giardinetto" e io non ho la minima idea di che cosa sia il giardinetto. Immagino che si tratti di comprare un po' di tutto, ma ormai ho chiuso il mio Heidegger e sto con l'orecchio teso quand'ecco squillare di nuovo il telefonino del playboy.

«Ciao Simonetta, come stai? Che gioia sentirti... Ma che dici? Io penso solo a te.»

"Scusi" avrei voluto dirgli, "ma lei non pensava solo a Deborah? Perché non lo dice anche a Simonetta che pensava solo a Deborah?"

Heidegger in proposito non si pronuncia. È piuttosto il mio vicino di posto che, essendosi accorto che non ho un telefonino, mi dice: «Mi permetta, ingegnere: ho visto che lei non ha un telefonino. Ora, senza complimenti, se vuole approfittare del mio... che so io... magari per fare una telefonata a casa...». E me lo piazza in mano.

«Grazie» gli dico, «farò un salutino a mia figlia. Magari le farà piacere.»

«Ciao Paola, sono papà... sto in treno... sì, sì... abbiamo appena superato Valmontone.»

Ciò detto, sembrerebbe impossibile immaginare il pressappoco del telefonino, e invece, perché si sappia, io un'idea ce l'avrei.

Lo Stato italiano potrebbe fare una legge grazie alla quale ogni trenta secondi tutte le linee dei telefonini dovrebbero cadere. A quel punto le conversazioni indispensabili, quelle tipo "Sono in ritardo, arrivo tra mezz'ora, oppure "L'appuntamento non è a piazza Risorgimento ma a piazza Barberini", si potrebbero fare lo stesso, mentre quelle lunghissime, quelle che rompono, verrebbero finalmente eliminate, e, oltretutto, gli italiani si abituerebbero alla sintesi.

V

Il pressappoco del computer

Il più grande nemico del pressappoco è il computer. Se lo affermo è per diretta cognizione di causa. Purtroppo, ho vissuto in mezzo ai computer, anzi ai *computers*, per ventuno anni di seguito, e vi posso assicurare che con loro non si scherza. Il computer non ha pietà e non sa nemmeno che cosa sia l'approssimazione. Quello che ha nella memoria è legge, e a meno che una persona non gli invii un ordine con su scritto *"canc"* lui, il fetente, non cancella niente.

Vi siete mai chiesti su quanti computer compaia il vostro nome in questo momento? Su centinaia o forse su migliaia, e passi per quello dell'anagrafe o della parrocchia dove vi siete sposati, ma siete anche sui computer di tutti quelli che hanno intenzione di comprare o di vendervi qualcosa: nome, cognome, indirizzo e numero di telefono e tante altre cose. I computer, in pratica, sanno tutto di tutti e non perdonano.

La legge sulla privacy dovrebbe proibire l'inserimento di un nome nella memoria di un computer senza il consenso del diretto interessato, ma non c'è niente da fare: una volta schedati solo la morte vi potrà liberare da questa particolare schiavitù, e a volte nemmeno quella.

La carta, invece, ringraziando Dio, può essere distrutta, perduta, stracciata e bruciata. Quello che c'è su un computer difficilmente scompare. È troppo semplice da riprodurre per non averne sempre una copia a disposizione. Ho cominciato a vendere computer verso la fine degli anni Cinquanta e il mio argomento di vendita preferito era per l'appunto l'indistruttibilità dei dati. Spiegavo come era fatta la memoria di un computer e come tutte le notizie fossero sempre a disposizione in ogni istante.

"Dottore" dicevo al PC (il Probabile Cliente), "da questo momento in poi il vostro computer può rispondere a qualsiasi domanda vi possiate fare. Volete una statistica delle vendite? Premete un tasto e l'avrete. Volete sapere chi sono quelli che vi devono dei soldi e da quanto tempo ve li devono? Premete un altro tasto e vi compare l'elenco completo dei vostri debitori in ordine progressivo di debito, dal più alto al più basso. Mai che la risposta possa essere imprecisa o approssimativa. I nostri computer hanno una memoria indistruttibile."

Era soprattutto l'elenco dei debitori quello che più faceva effetto sui clienti. Una risposta del tipo "Il signor Rossi ci dovrebbe dare dodici milioni di lire, ma in questo momento ha dei problemi in famiglia, e quindi consigliamo di attendere qualche settimana prima di sollecitarlo" era impossibile.

Un computer accetta solo due tipi di risposta: il "sì" e il "no", mai il "forse". Chiunque ha provato a lavorarci sopra sa cosa voglio dire.

Una volta la Banca fra Commercianti e Industriali di Salerno prese fuoco. Venne distrutto tutto l'edificio a eccezione del computer. Ricevute contabili con firme e controfirme divennero cenere, ma la memoria del computer si salvò e con lei si salvò anche la banca.

Nessuno ha mai pensato che in Paradiso debba esistere un santo delegato alla protezione dei computer. Io me lo immagino senza barba, con un'aureola sulla testa a forma di triangolo e con due tavole tra le mani. Sulla prima c'è un SÌ e sulla seconda un NO, mai un FORSE.

Colgo l'occasione per paragonare la memoria di un computer alla mia. Ebbene lo confesso: io ho una schifezza di memoria. In particolare sono affetto da una menomazione fisica detta *prosopoagnosia* (da *prósopõs* che vuol dire "faccia" e *agnõsía* che vuol dire "non-conoscenza") che consiste nel non poter riconoscere le persone dai tratti somatici ma solo dal suono della voce. Per colpa della prosopoagnosia ho fatto figure tremende. Non ho riconosciuto mia sorella. Mi sono presentato a lei dicendo: «Piacere De Crescenzo». Lei ha detto: «Sono Clara» e si è messa a piangere. Una sera, a una cena, non ho riconosciuto Sophia Loren malgrado avessi già fatto due film con lei. Insomma, sono un disastro. Il computer, invece, non dimentica.

Eppure un giorno mi si presentò un caso che mai e poi mai avrei potuto immaginare. Il centro contabile del mio cliente era costituito da una tabulatrice 421 a schede perforate. Vederla lavorare era un piacere: sempre precisa, sempre puntuale. Magari un po' lenta se confrontata ai computer di oggi, ma inesorabile nei risultati. Sennonché un giorno cominciò a sbagliare. Chiamammo i tecnici della IBM e questi, dopo averla aperta e analizzata nei minimi dettagli, la chiusero di nuovo. Ebbene, roba da non credere, una volta richiusa, la tabulatrice ricominciò a sbagliare, questa volta, però, non più nel totale di prima, ma in un altro totale. Ritornammo a chiamare i tecnici e loro la riaprirono e la richiusero senza mai trovarci niente di strano. Tutto tornò a funzionare salvo trovare poi un nuovo errore, questa volta, però, in un altro angolo del prospetto.

Insomma, per farla breve, il colpevole era un ragno che, approfittando della sua invulnerabilità alle scariche elettriche, creava falsi contatti. Lui, il ragno, ogni volta che i tecnici aprivano la tabulatrice cambiava di posto e di conseguenza cambiava anche il tipo di errore. Oggi non credo che una cosa del genere sia possibile. Resta il fatto, però, che io a distanza di anni ancora lo ricordi.

VI

Il pressappoco della musica

Il jazz si distingue da tutti gli altri generi musicali per la continua improvvisazione e in quanto tale potrebbe essere considerato il pressappoco della musica. A differenza della sinfonica dove ogni concertista è obbligato a seguire "alla lettera" quello che vede scritto sullo spartito, il jazzista è padrone di andarsene per i fatti suoi. Nessuno lo rimprovera per questo. Anzi, più lui si allontana dal testo e più viene apprezzato.

Volendo trovare un inventore del jazz bisogna risalire alla fine dell'Ottocento e per la precisione al 1896. Quel giorno due pianisti, uno nero e uno bianco, Tom Turpin e William Krell, si specializzarono in un genere ritmato, da loro chiamato *ragtime*, molto apprezzato dal pubblico ma non altrettanto dalla critica. A tale proposito, nel 1899 "The Musical Courier", la rivista più letta degli Stati Uniti, scrisse che un'ondata di musica volgare si era abbattuta sugli Stati Uniti. Da allora, e sempre peggiorando, spuntarono vari tipi di jazz, fino ad arrivare alle ultime esibizioni, detti anche "jazz freddi", che in verità non piacciono a nessuno, fatta eccezione quelli che suonano.

Oltre al *ragtime*, i tipi di jazz che più hanno avuto successo sono stati lo *swing*, i *work songs*, i *calls*, il *dixieland*, il *cool jazz*, il *folk jazz*, il *be-bop*, il *blues*, il *free jazz* e chissà quanti altri ancora che in questo momento mi sfuggono.

È possibile, comunque, distinguere due grandi categorie di jazz: quelle molto ritmate di cinquant'anni fa, e quelle attuali che divertono solo coloro che le suonano.

Io cercherò di raccontare i jazz dei primi anni del Novecento, quando a suonarli erano in prevalenza gli schiavi del basso Mississippi. All'epoca, i rematori accompagnavano i loro gesti lenti e ripetitivi con dei canti malinconici detti anche *work songs* o *spirituals* (se di ispirazione religiosa), ovvero i cori lamentosi di chi era costretto a raccogliere il cotone sotto il sole o a remare lungo i fiumi degli Stati Uniti del Sud. I testi erano anche più tristi delle voci e andavano dalla canzone d'amore di un poveraccio che era stato appena abbandonato dalla moglie a quella di protesta di un operaio che non era stato pagato o che era pagato pochissimo. Caratteristica comune di tutte le melodie jazz era il "levare", ovvero un leggero ritardo tra le parole cantate e i tempi di battuta.

All'inizio del Novecento quasi tutti gli americani amavano il jazz. Lo suonavano i neri nelle loro taverne, ma lo suonavano anche i bianchi nei locali alla moda. Solo gli intellettuali se ne tenevano alla larga. Il jazz comunque, al di là dei commenti non sempre favorevoli, si propagò per ogni dove. Da New Orleans, dov'era nato, arrivò a New York, a Boston e a Chicago. Lo si suonava nei bar, nei cabaret, nei teatri, nei bordelli e perfino ai funerali. A New Orleans ogni volta che un nero passava a miglior vita si era soliti accompagnare il suo feretro con una banda di suonatori di jazz. E a quanto mi dicono questa abitudine esisterebbe ancora.

In merito abbiamo una testimonianza del cornettista Bunk Johnson: "Andando verso il cimitero suoniamo dei pezzi molto commoventi, tipo *Nearer my God to Thee*, salvo poi tornarcene sui nostri passi e a duecento metri esatti dalla tomba intonare uno scatenato *When the Saint go marchin' in*, il tutto per augurare al defunto una felice permanenza in Paradiso".

Incredibile a dirsi, ma perfino alcuni dei più famosi musicisti europei espressero il loro apprezzamento per questo nuovo genere musicale. Si dice (ma non è sicuro) che piacesse anche a Debussy, Verdi, Brahms e a Stravinskij.

Gli italiani hanno avuto un ruolo determinante nella nascita del jazz. Proprio agli inizi del secolo scorso alcuni nostri connazionali partirono per l'America avendo nella valigia solo una tromba o un clarinetto. Tra i più noti ricordiamo Tony Sbarbaro, Joe Venuti, Louis Prima, Salvatore Massaro e Santo Peccora. Alcuni erano nati in Italia, altri, invece, erano figli di emigranti come il cornettista Nick La Rocca, il cui papà aveva fatto il calzolaio a Palermo. A New Orleans, poi, fece furore un complesso jazz chiamato Original Dixieland Jazz Band, composto in massima parte da jazzisti italiani, tutti provenienti dal Sud Italia. E infine, intorno alla metà degli anni Venti arrivò "lui" in persona, il grande Louis

Armstrong. Si deve, infatti, a questo gigante del jazz se il nuovo genere si diffuse in tutto il mondo.

Louis Armstrong nacque il 4 agosto del 1900 in una baracca di legno del quartiere più povero di New Orleans. Suo padre era un operaio e lo abbandonò quando era ancora in fasce. Sua madre faceva la domestica a ore presso le famiglie ricche della città. Armstrong visse buona parte della sua infanzia per le strade di New Orleans. Nei primi anni si guadagnò da vivere consegnando i vestiti che la madre lavava e che la nonna stirava per i "signori bianchi". Poi scoprì che col jazz avrebbe guadagnato di più. La prima volta che si esibì davanti a un pubblico stava ancora in riformatorio. Infine si rese conto che la gente, almeno di notte, si fermava inebetita a sentirlo suonare, e fu in quell'occasione che fu chiamato "Satchmo", "bocca a sacco". I suoi primi fan furono in massima parte magnaccia o prostitute.

Sul jazz si racconta una strana storia. All'inizio il genere era chiamato jass, con due "s", poi, siccome nel dialetto neworleanese *ass* voleva dire "culo", alcuni burloni cominciarono a staccare dai manifesti la "j" iniziale in modo che la frase "Venite a sentire il nostro jass" venisse recepita come "Venite a sentire il nostro didietro". E tanto bastò perché le due "s" finali si tramutassero in "z".

Per quanto mi riguarda, il primo incontro col jazz lo ebbi il giorno stesso in cui gli americani arrivarono in Italia. Io stavo a Roma in viale Parioli quando vidi arrivare una jeep con tre soldati yankee che suonavano degli strumenti a fiato. Il tipo di musica era completamente diverso da quello a cui ero abituato. C'era dentro un ritmo che faceva venire voglia di ballare. Poi, in quello stesso mese, uscì il film *Serenata a Vallechiara* dove ascoltai il mio primo boogie-woogie. Il pezzo era intitolato *In the mood* e a suonarlo era un certo Glenn Miller. Con i miei amici, ricordo, si andava al cinema subito dopo pranzo e si usciva a mezzanotte, il tutto per sentire *In the mood* almeno quattro volte. Anche il nostro modo di ballare cambiò completamente. Non si ballava più abbracciati, uomini e donne, ma si facevano delle vere e proprie giravolte. A questo proposito va ricordato il film *Hellzapoppin'* con dei ballerini neri da noi soprannominati i "diavoli di Harlem".

A essere obiettivi, una specie di jazz ci era stato inculcato alcuni anni prima da un cantante italiano chiamato Natalino Otto, molto amato da noi ragazzi e altrettanto odiato da mio padre. Papà era un appassionato di musica melodica, amava Oscar Carboni e Alberto Rabagliati. Quando sentiva un pezzo di Natalino Otto correva a spegnere la radio urlando: "Africa!".

VII

Il pressappoco della morte

Il pressappoco della morte è il coma, e su questo non ci sono dubbi. Per rendersene conto basta andare a vedere il film *Parla con lei* di Pedro Almodóvar. È un capolavoro assoluto.

È la storia di due donne finite in coma che vengono assistite dai loro rispettivi fidanzati. La prima è una torera massacrata nel corso di una corrida e la seconda una ballerina caduta durante un'esibizione di danza. I due accompagnatori finiscono col fare amicizia e uno dei due consiglia all'altro di tentare un colloquio con la quasi defunta.

"Parla con lei" gli dice, "e io ti garantisco che capisce tutto quello che racconti, anche le cose più complicate. La mia mi segue con molta attenzione. Io le racconto tutto nei minimi particolari e lei è molto contenta. A volte con lo sguardo mi chiede anche le ripetizioni."

Alla fine del film, una delle due resta incinta ed esce dal coma. Tutto questo per colpa (o per merito, dipende dai punti di vista) del suo innamorato Benigno.

Chissà, mi chiedo, cosa si sente quando si sta in coma... Probabilmente si sogna. Quel che è certo è che non si soffre. Non ho mai visto una persona urlare mentre sta in coma. Forse converrebbe entrarci ogni volta che si sta per morire. Volesse il cielo che esistesse una pasticca capace di farci entrare in coma per avere una dolce morte.

So di un signore, un cassiere di banca, che si trova in coma da cinque anni. La famiglia ha fatto di tutto per farlo svegliare. Gli hanno perfino strappato sulla faccia banconote da cinquecento euro, ma non c'è stato niente da fare: è rimasto immobile come se avessero stracciato solo biglietti da cinque. Io non vedo l'ora che torni normale per farmi raccontare tutto quello che ha pensato. Se accadesse a me vorrei essere immerso in una vasca da bagno piena di acqua calda. La vasca da bagno è, almeno per quanto mi riguarda, il luogo ideale in cui trascorrere l'eternità.

Un giorno ho sognato di essere entrato anch'io in coma. Poi, quando meno me l'aspettavo, è arrivato il professor Cassetti, il mio insegnante di filosofia di terza liceo, che mi ha interrogato su Aristotele. Tanto è bastato perché io mi alzassi di scatto e rispondessi a tutte le domande, compresa quella del paradosso di Zenone. Per chi desiderasse saperne di più si consiglia la lettura del libro *La vita oltre la vita* di Raymond A. Moody. Vengono raccontati centocinquanta casi di morti apparenti e centocinquanta risvegli.

Ora, però, torniamo al sogno e cerchiamo di capire che cosa succede quando si sogna. Il corpo si addormenta e la mente continua a lavorare come se fosse sveglia. Quasi sempre i sogni si dimenticano, in particolare quelli che si fanno durante le prime ore della notte. Al massimo si ricordano gli ultimi, quelli fatti tra le cinque e le sette del mattino.

Una volta, a Napoli, conobbi un brav'uomo, tale don Attilio detto "'o santone", che vendeva i sogni. Lui abitava nel quartiere Sanità e vendeva la foto di una ragazza da mettere sotto il cuscino. Si faceva dare duemila lire rimborsabili in caso di sogno mancato. Data l'esiguità della cifra, tutti gliele davano. Che io sappia, però, a nessuno le ha mai restituite. In pratica, si faceva pagare la fotografia. Io la posseggo ancora e qualche volta ho provato a metterla di nuovo sotto il cuscino. La donna fotografata è una ragazza dai capelli biondi e dalle labbra a forma di cuore. Ha un seno felliniano e un sorriso invitante. Volesse il cielo che un giorno la incontrassi! La fermerei e le direi quante volte abbiamo dormito insieme.

Chi sta in coma non soffre, o almeno così sembra. Non si agita e non lancia urla di dolore. C'è stato un gran discutere sul caso di una donna americana che era in coma da quindici anni. Ne hanno parlato tutti i giornali e soprattutto alcuni "torturatori" che avrebbero voluto mantenerla in vita sino alla fine dei suoi giorni. Io non sono d'accordo. Io sono per l'eutanasia anche per quelli che stanno bene. È il dolore, infatti, e non la morte, il peggiore dei mali. Sarà che sono un pochino ateo, ma considero la morte il più bel regalo che Dio possa fare a una persona che soffre.

Due sono le possibilità: o c'è un dopo o non c'è. L'importante, quindi, non è tanto l'esistenza di Dio quanto l'esistenza del Dopo. Il Dopo, ovviamente, scritto con la "D" maiuscola. Comunque, Aldilà a parte, una certa voglia di suicidarmi l'ho sempre avuta. Mi piacerebbe, però, un suicidio estetico. Quindi niente pistola o salto dal quarto piano. In pratica, mi piacerebbe un suicidio senza sangue. L'ideale sarebbe il gas. Ci si addormenta gradualmente finché non arriva il momento fatale. Si rischia, però, di far saltare in aria l'intero palazzo o quanto meno l'appartamento che si abita oltre a quello del piano di sopra. Forse lo si potrebbe attuare in una casa piccolina e in aperta campagna. Una volta chi si suicidava lasciava un biglietto o una lettera ai posteri. Oggi potrebbe anche farsi riprendere da una telecamera un attimo prima dell'addio.

Tutti gli esseri umani rimuovono l'idea della morte. Si convincono che esista per tutti a eccezione della loro persona. Io, per esempio, fingo con me stesso di essere immortale. Ho provato a ipotizzare la morte, ma non mi viene bene. Scendo le scale del palazzetto dove abito e immagino il mio ultimo giorno: quattro uomini vestiti di nero mi portano chiuso in una bara. Io dall'interno, benché defunto, sento i loro passi, *tum, tum, tum* (questi sarebbero i passi), e immagino i pianti relativi. Da come ho visto piangere la mia collaboratrice domestica per la morte del gatto, non posso fare a meno di ipotizzare la sua disperazione quando sarà il mio turno. Giù c'è il carro funebre che aspetta. Non si è potuto fermare in via Tor de' Conti per colpa del vicolo che è troppo stretto. È quindi fermo in largo Corrado Ricci e ci sono tutti i miei amici più cari. Vedo Federico, Eddy, Renzo, Marisa, Anna, Alessandra e, ovviamente, tutti i miei parenti.

VIII

Il pressappoco del camminare

Il pressappoco del camminare è il passeggiare o, per dirla con Erodoto, il procedere *agoràzo*, ovvero un po' di qua e un po' di là in modo da incontrare quanta più gente possibile. Un giorno sono stato in Giappone e sono rimasto scandalizzato nel vedere che all'uscita della metropolitana tutti i giapponesi camminavano velocissimi, l'uno accanto all'altro, senza mai fermarsi e senza mai parlare tra loro. In altre parole senza praticare l'*agorazontà*.

In greco *agorà* vuol dire "piazza" e *agorazontà* "piazzeggiare" o, se preferite, andare a zonzo per fare amicizia con quelli che s'incontrano. Ebbene, che ci crediate o no, l'*agorazontà* è stato l'inizio della nostra civiltà. Quel giorno, di questo sono sicuro, c'era un bel sole e alcuni greci scesero in piazza per fare amicizia con i propri vicini di casa. Il che equivale a dire che due creativi, una mezz'ora dopo che si erano messi a parlare, erano diventati un pochino più creativi di prima. Le idee dell'uno erano rimbalzate da una testa all'altra ed erano tornate indietro amplificate. Questo fenomeno, anche detto della "risonanza creativa", è stato l'inizio della nostra civiltà.

Tutto cominciò ad Atene circa ventiquattro secoli fa. Quel giorno Alcibiade, Aristofane, Socrate, Fedro, Pausania, Senofonte e Aristodemo (solo per nominarne alcuni) non si conoscevano ancora, ma s'incontravano spesso nell'*agorà* e fu così che cominciarono a fare amicizia. Come? Parlando. Una parola la diceva l'uno, una parola la diceva l'altro, e quando meno se l'aspettavano spuntò l'amicizia e con essa la filosofia. Altre persone, invece, magari solo perché quel giorno pioveva, rimasero chiuse in casa e non si conobbero.

Ciò detto, cerchiamo d'incontrarci più spesso e di parlare quanto più sia possibile. Chissà che anche da noi non spunti fuori un qualcosa che rassomigli alla filosofia. Leggiamoci, per esempio, il *Fedone*, lì dove Socrate annuncia a Simmia che prima o poi anche lui dovrà morire, ma che in compenso si libererà del corpo.

Incontrarsi e parlare è la cosa più bella che esista al mondo, sesso compreso. I paesi piccoli in questo sono un po' avvantaggiati rispetto a quelli più grandi. Io ho vissuto a Milano cinque anni e, per quanto mi ricordi, era praticamente impossibile fermare qualcuno e iniziare un discorso. Al massimo si poteva chiedere l'ora. A volte nemmeno in ascensore era possibile parlare. Provate, invece, a vivere in un paese piccolo, tipo Atrani per esempio. Ebbene, nel giro di un paio di settimane conoscerete tutti gli abitanti del luogo, da Punta della Campanella a Vietri. Dopodiché il vedersi ogni giorno fa venire la voglia di conoscersi meglio e di comunicare. Al Sud è certamente più facile che al Nord, se non altro perché il clima è migliore. Tutto sta nel cominciare, poi una parola tira l'altra e senza volerlo si finisce col fare filosofia.

Ho vissuto per quasi un anno in un paese chiamato San Giorgio a Liri, in provincia di Frosinone. Mio padre l'aveva scelto come rifugio per scansare i bombardamenti che ogni giorno massacravano Napoli. I primi tempi furono terribili: non conoscevo nessuno. Poi, grazie a Dio, un giorno caddi sulle scale e venni soccorso da un vicino di casa. Tanto

bastò perché nel giro di una settimana tutti i ragaz-
zini di San Giorgio mi venissero a trovare. Tempo
un mese organizzammo una squadra di calcio, il
"San Giorgio a Liri", e sfidammo quelli di Pignata-
ro, per poi litigare con quelli di Cassino. Ebbene,
saremmo rimasti nemici per tutta la vita se un giorno i tedeschi non ci avessero presi e portati in un
campo di concentramento nei pressi di Ferentino.
Qui facemmo amicizia con quelli di Cassino e, nonostante le condizioni, furono giorni bellissimi,
giorni che ricordo ancora con grande nostalgia.

IX

Il pressappoco dell'Essere

È già difficile spiegare l'Essere, immaginiamoci il pressappoco dell'Essere! Molti pensano che i primi filosofi della storia siano stati Talete, Anassimandro e Anassimene. Niente di più sbagliato: i suddetti signori, proprio a essere generosi, furono solo dei tecnici, stavo per dire degli ingegneri, che cercarono di trovare nella natura un elemento che potesse in qualche modo giustificare la nascita dell'Universo. A mio avviso, il vero inventore della filosofia fu un italiano del nostro Sud e per l'esattezza un tale chiamato Parmenide.

Le cose andarono grosso modo così: Parmenide era gay. Non era uno come Empedocle: un po' con gli uomini e un po' con le donne. Nossignore, a lui piacevano solo gli uomini. Già a vent'anni aveva avuto un rapporto affettuoso con il pitagorico Ami-

nia, e qualche anno dopo un altro con un certo Eno-
crito di Rodi. Un giorno, infine, durante una specie
di viaggio di nozze fatto con Zenone di Elea, ebbe
modo d'incontrare ad Atene i filosofi più importanti dell'antica Grecia, Socrate incluso. Non fece in
tempo, però, a sedersi nella sala dov'erano riuniti i
grandi pensatori dell'epoca, che qualcuno lo criticò
perché aveva i piedi sporchi. Toccò a Gorgia da
Leontini il compito di difenderlo.

«Badate» disse Gorgia «che quest'uomo, questo
che adesso criticate, ha detto una cosa importante,
ma così importante che nessuno di voi se la sarebbe
mai nemmeno immaginata.»

Fu allora che Socrate, punto dalla curiosità, chiese
maggiori spiegazioni.

«Mi dicono, o Parmenide, che tu avresti detto una
cosa molto importante. Ti dispiacerebbe dirla anche
a noi questa cosa? Chissà che a discuterla insieme
non si riesca a farla diventare più semplice, e magari anche più importante.»

Parmenide stava lì lì per rispondere quando Zenone gli tolse la parola.

«È inutile che il mio maestro parli» disse, «tanto
voi non lo capireste.»

Al che si offesero tutti. "Ma come", pensarono,

"noi siamo i filosofi ateniesi, i più intelligenti che esistano al mondo, e adesso vengono questi due, oltretutto con i piedi sporchi, e ci dicono che noi non saremmo in grado di capirli!"

Socrate, però, prima che tutti se ne andassero dalla sala più arrabbiati che mai, intervenne con la sua solita calma.

«E dài Parmenide, dilla anche a noi questa cosa. Chissà che a discuterla tutti insieme non si riesca a farla diventare un pochino più semplice, o magari ancora più complicata.»

E Parmenide disse: «L'essere è. Il non essere non è».

Nasce così la filosofia. Era il 450 avanti Cristo, anno più, anno meno.

Volendo ora spiegare con parole semplici che cosa vuol dire Essere e che cosa vuol dire Non Essere non è facile. Se però questi due concetti esistono, vuol dire che esiste anche un loro pressappoco, ovvero il Quasi-Essere e il Quasi-Non Essere, e sono questi due "quasi" quelli che adesso vorremmo spiegare.

Cominciamo con il dire che ogni Essere ha il suo Non Essere vicino, così come ognuno di noi ha un'ombra che lo segue passo passo. L'ombra, però, per apparire ha bisogno di una luce ed è appunto la luce la cosa più difficile da spiegare.

La maggior parte dei professori di filosofia descrive l'Essere come il contrario dell'Apparire e invita gli allievi a dare più importanza all'Essere che non all'Apparire. I giovani, però, non appena si accorgono che con l'Essere non acchiappano più le ragazze, si dedicano solo all'Apparire. E allora eccoli tutti alla ricerca dei vestiti più belli, dei Rolex, dei gioielli, delle vittorie nelle gare sportive, del successo, della Spider, del denaro, della bellezza, della notorietà e chi più ne ha più ne metta. Andare in televisione per fare la velina, per esempio, non ha niente a che vedere con l'Essere, eppure per una ragazza è il massimo del successo che riesce ad acchiappare. Se ci arriva, suscita l'invidia, se non addirittura l'ammirazione, di tutte le sue amiche.

Molte sono le cose che ci attraggono. La maggior parte di esse, però, non pretende di essere considerata il top della felicità. A volte è l'affetto della persona amata, altre volte è la carriera, altre volte, invece, è l'arte in tutte le sue mille manifestazioni. Certo è che abbiamo sempre bisogno di un qualcosa che ci faccia dimenticare i lati brutti dell'esistenza, tipo la solitudine e la morte.

L'obiettivo principale è dimostrare a se stessi la propria esistenza. Perfino i messaggi lasciati con gli spray sui muri della città sono una dimostrazione che i giovani hanno bisogno di lasciare una traccia della loro presenza.

Ci sono, comunque, i bisogni primari come il mangiare e il bere, e i bisogni secondari, ma non meno importanti, come il comunicare. Ognuno di noi non ce la fa a vivere da solo e ha necessità di mettersi in contatto con un altro essere umano. Detto in modo ancora più semplice, l'individuo vorrebbe avere sia l'Amore sia la Libertà. Ma non appena si acchiappa il primo si perde la seconda. Sposarsi, per esempio, è un evento altamente positivo, se non altro perché consente di avere dei figli, ma comporta anche dei sacrifici non sempre facili da superare, tipo la convivenza. A quel punto allora anche la solitudine finisce col diventare un bene.

Il primo difetto dell'amore è quello di essere possessivo. Un uomo che ama una donna (e viceversa) vuol sapere dove è stata la sera precedente, chi la sta chiamando sul telefonino e tante altre cose che in qualche modo limitano la sua libertà e soprattutto la sua privacy. Al contrario, il non avere qualcuno che s'interessa di noi aumenta in modo drammatico la nostra solitudine. Ebbene, perché si sappia, esiste una via di mezzo tra l'amore e la libertà, e questa via si chiama "amicizia". Avere un amico o un'amica, infatti, ci consente di vivere accanto a un altro essere umano senza per questo perdere la propria indipendenza. L'innamoramento, invece, non ci concede più di un amore per volta.

L'Amicizia, quindi, finisce col diventare il pressappoco dell'Amore e in quanto tale è anche il pressappoco dell'Essere. Provare per credere.

X

Il pressappoco della matematica

Da universitario, per guadagnare qualche soldino ho fatto l'insegnante privato di matematica. Ricordo ancora con molta nostalgia alcuni allievi e soprattutto alcune allieve tanto carine quanto ignoranti. Ne ho avuta una, in particolare, che si chiamava Concetta (nome molto diffuso dalle mie parti) che, come unica ricompensa, mi dava un bacio sulla bocca quando la madre non c'era. Me lo dava, sì, ma sfiorandomi appena appena. In pratica, non me lo dava. D'altra parte, se è vero che la felicità consiste nel desiderio e che lo sfiorare è il pressappoco del toccare, è molto meglio essere sfiorati che toccati.

Alla fine dell'università (facoltà d'Ingegneria), ecco quello che ho capito della matematica:

La matematica è una scienza esatta e in quanto tale non ammette l'esistenza del pressappoco. Io, però, essendomene innamorato fin dall'inizio, sono riuscito a scendere a qualche compromesso anche con la matematica. Già il fatto che né i romani né i greci conoscessero lo zero lascia alquanto da pensare. Furono gli arabi i primi a scoprirlo, se non altro perché furono anche i primi a praticare l'usura.

D'altra parte perché meravigliarsene? In natura non c'è nulla che sia davvero uguale a zero o a infinito. Nel migliore dei casi esistono concetti (e sottolineo concetti, non cose) che tendono allo zero o all'infinito, e sono questi ultimi gli unici pressappoco immaginabili.

Zero e infinito sono due numeri camorristi. Qualsiasi numero moltiplicato per zero è uguale a zero e qualsiasi numero moltiplicato per infinito è uguale a infinito. Dopodiché ci si chiede che cosa succeda se si moltiplica lo zero per l'infinito. Non ne ho la minima idea, ma so che sarebbe un duello tra due camorristi. Gli addetti ai lavori affermano che il prodotto zero per infinito è un numero qualsiasi. Non a caso, infatti, qualsiasi numero diviso zero è uguale a infinito e qualsiasi numero diviso infinito è uguale a zero. Ciò detto, perfino l'Universo non può vantarsi di essere infinito. Se potessimo viaggiare continuamente su un'astronave e puntare imperterriti verso i bordi dello spazio, seriamente intenzionati a oltrepassarli, prima o poi saremmo costretti a fermarci.

Supponiamo, per esempio, di essere una particella di quella massa iniziale che quindici miliardi di anni or sono, miliardo più miliardo meno, scoppiò all'improvviso provocando il cosiddetto Big Bang. Ebbene, noi quella volta, in quanto massa, partimmo seriamente intenzionati a superare i confini dello spazio. Sennonché, che io sappia, non ci siamo mai riusciti. La nostra velocità, infatti, man mano che ci avvicinavamo ai bordi dello spazio, aumentava sempre di più fino a raggiungere i famosi trecentomila chilometri al secondo, quelli che, sempre secondo i tecnici, segnano il massimo della velocità possibile. E allora che succede? Due fatti fondamentali: il tempo si ferma e la massa scompare. Per maggiori informazioni chiedere ad Albert Einstein e a Hendrik A. Lorentz. A detta di questi signori, infatti, man mano che la velocità aumenta, accadono due cose terribili: il tempo rallenta e la massa rimpiccolisce. Detto in modo ancora più semplice: un gentiluomo che si trovasse seduto a cavalcioni su un'astronave che si sta dirigendo a velocità sempre crescente verso i bordi dell'Universo, vedrebbe il proprio orologio rallentare fino a fermarsi, e se stesso diventare sempre più piccolo fino a sparire del tutto.

A questo punto la domanda è: "E al di là dell'Universo che cosa c'è? C'è il vuoto o il niente?". Ebbene, se non lo dite a nessuno, ve lo dico io: "C'è il niente. Il niente e null'altro che il niente. Se non altro perché il tempo si è fermato e la massa è scomparsa".

Un giorno, poi, morendo, almeno si spera, verremo a saperlo, e magari quel giorno ci dispiacerà constatare che anche donne bellissime con seni spettacolari, come Brigitte Bardot per esempio, siano rimpicciolite fino a sparire del tutto.

Io so benissimo che alcuni uomini di scienza non sono d'accordo con quest'ipotesi. Resto, però, della mia idea e attendo con pazienza che qualcuno mi dimostri il contrario.

L'Universo me lo sono sempre immaginato così: uno spazio molto grande al di là del quale, ripeto, c'è il niente e nient'altro che il niente. Ci fosse almeno il vuoto, ci sarebbe quanto meno il tempo.

Immaginiamo di poter viaggiare nello spazio alla velocità della luce e di finire in un altro pianeta. Quale sarebbe la prima domanda che ci porremmo?

"Dove sono finito? Questo pianeta è abitato o non è abitato? E che tipo di esseri ci sono? Uguali o diversi da noi? Alti più o meno un metro e sessanta, oppure microscopici?"

Nel *Simposio* Aristofane fa delle ipotesi. I nostri antenati, dice, erano tutti doppi. Avevano quattro braccia, quattro gambe, un sesso maschile davanti e un sesso femminile dietro. Nello stesso tempo, però, erano scostumati: bestemmiavano e offendevano gli Dei. Zeus allora li spaccò tutti a metà e loro restarono in bilico su due gambe soltanto. Inoltre erano infelici perché sentivano la mancanza dell'altra metà. Quelli poi che provenivano da un essere uomo-uomo o donna-donna sentivano la mancanza di un essere a loro molto simile.

Per maggiori informazioni consiglio di leggere il *Simposio* di Platone, ovvero il libro più bello che sia mai stato scritto al mondo.

XI

Il pressappoco dell'immondizia

L'Ordine e il Disordine sono complementari nel senso che quando si mette in ordine un posto se ne "disordina" un altro. Ammesso, quindi, che la pulizia si identifichi con l'ordine e la sporcizia col disordine, pulire un posto vuol dire in pratica sporcarne un altro. Detto in modo ancora più semplice, la somma di due sporcizie è sempre la stessa. Ne sanno qualcosa quei comuni nelle cui vicinanze lo Stato italiano ha deciso di porre una discarica di rifiuti. Ciò premesso, l'invenzione più pericolosa del ventesimo secolo non è stata, come molti credono, la bomba atomica, ma l'immondizia. In Italia ogni abitante produce mediamente 1,650 kg d'immondizia al giorno, ovvero 6 quintali l'anno, ovvero 48 tonnellate nel corso della vita, pari a circa ottocento volte il proprio peso corporeo.

Per avere un'idea seppure approssimativa di che cosa voglia dire immondizia, basta riandare col pensiero all'ultima festa di Natale in casa e ricordare il pavimento alcuni minuti dopo l'apertura dei regali: un immenso mare di scatole, scatoline, scatoloni, carte colorate, nastri e nastrini. Venti invitati portano con sé qualcosa come trecentottanta regali, uno per ogni persona che incontreranno, e quindi diciannove regali per venti persone. Ogni regalo, infine, avrà un suo contenitore, una sua carta colorata, un suo nastro e un suo bigliettino di auguri, pur sapendo che un attimo dopo l'apertura dei pacchi tutte queste cose, compresi gli auguri, dovranno essere gettati nel bidone della spazzatura.

Quand'ero ragazzo io, l'immondizia era chiamata "monnezza" e consisteva in un sacchettino di carta che si metteva fuori della porta d'ingresso ogni mattina affinché un operaio del Comune, detto anche "'o munnezzaro", la ritirasse.

Una famiglia media come la mia (due genitori, due figli e una domestica) non andava oltre i duecento grammi di immondizia al giorno. Il pacchettino avvolto in carta di giornale (la plastica non era stata ancora inventata) era costituito in gran parte da bucce di ortaggi e di frutta. Tutto questo perché esisteva la buona abitudine di non buttare via mai niente. Mia madre, tanto per dirne una, conservava una scatola di spaghi sulla quale aveva scritto la frase: "Spaghi troppo corti per essere usati".

Oggi, invece, la frenesia del consumare e del gettare è diventata un bisogno insopprimibile. Non si è capito ancora se sia più bello il consumare o il buttare. Mi è stato detto che nei pressi di New York esiste una discarica di rifiuti grande come la città di Caserta, dove per inoltrarsi occorrono speciali mezzi cingolati e tute spaziali appositamente studiate. Sembra, inoltre, che in questa gigantesca *trash-land* siano nate nuove specie animali non ancora conosciute dagli addetti ai lavori.

Ebbene, stando così le cose, non è possibile immaginare un pressappoco del disordine. Forse la Luna un giorno ci potrà venire in aiuto fornendo gli spazi necessari per tutta l'immondizia che produciamo. Quel giorno, però, con grande rammarico degli innamorati e soprattutto dei poeti, non potremo più cantare con trasporto *Venezia, la Luna e tu*, a meno che il trasporto non sia quello dell'immondizia.

Il pressappoco della monnezza è quell'immondizia minima che, data la sua dimensione, viene gettata senza starci troppo a pensare. Parlo delle cicche di sigaretta e delle gomme da masticare. Una volta ho redarguito un ragazzo che aveva appena gettato lo scontrino di un bar. Ebbene, lui mi ha guardato come se fossi uno fuori di testa. Forse un giorno verranno piazzate delle telecamere in tutte le strade per individuare quelli che sporcano. E allora chissà?

Un'altra volta sono stato a Lugano, in Svizzera, e per quanti sforzi facessi non sono riuscito a trovare nemmeno un mozzicone di sigaretta. Non a caso si dice che Lugano sia grande il doppio del cimitero di Napoli ma che ci si diverta solo la metà. Esistono paesi come il Nepal, l'India e il Pakistan dove l'immondizia non è stata ancora inventata.

XII

Il pressappoco della bellezza

Il bello e il brutto non si possono misurare con il metro come l'altezza. Sono concetti che stanno dentro di noi e Dio solo sa perché sono gli stessi in tutti gli esseri umani. Una delle motivazioni potrebbe essere la loro distanza dalla morte. È bello tutto quello che è appena nato ed è brutto tutto quello che sta per morire. E qui entra in ballo l'entropia, ovvero il "secondo principio della termodinamica". Sui manuali di fisica l'entropia è descritta come un fenomeno che aumenta il disordine di un sistema. Detto in modo un pochino più terra terra: "Prima o poi tutto si scassa" ed è colpa dell'entropia se man mano che passa il tempo diventiamo tutti più brutti.

Esaminiamo l'essere umano e cerchiamo di capire quando è possibile definirlo "bello" e quando, invece, è irrimediabilmente "brutto".

L'individuo raggiunge la bellezza massima nei primi anni di vita. Nessuno è più bello di un bambino di due anni. Poi, più passa il tempo e più il suo aspetto tende a peggiorare, fino a diventare decrepito il giorno in cui sta per morire.

A me, tanto per dirne una, piacciono le ragazze molto giovani, ma mi guardo bene dal dirlo in pubblico per non correre il rischio di essere scambiato per un pedofilo.

Uno, invece, che corse questo pericolo fu Leonardo da Vinci. Lui impazziva per un ragazzino di dieci anni, un certo Giacomo, che oltretutto gli fregava anche i soldi dalle tasche. Prima di condannare Leonardo, però, bisognerebbe capire se era la bellezza del ragazzino a condizionarne il giudizio, o l'erotismo.

A questo proposito è lo stesso Leonardo a regalarci una spiegazione. Dice: "Una cosa è l'eros e un'altra è l'estetica", per poi precisare: "L'atto del coito è a tal punto repellente che se non fosse per la bellezza dei visi la specie umana si sarebbe già estinta". Ciò non toglie che ebbe moltissimi discepoli, tutti molto giovani e tutti molto belli. Nessuno di loro, però, che io sappia, divenne poi un grande pittore, il che starebbe a dimostrare che il suo interesse era prevalentemente erotico.

Per quanto riguarda le donne, la legge non va d'accordo con la natura. La legge, infatti, ha come primo scopo quello di proteggere le minorenni laddove la natura non pensa ad altro che a incrementare la specie e per ottenere questo scopo dona alle minorenni tutte le attrattive possibili. Ciò premesso: se vedo una bella quindicenne e mi volto a guardarla sono in sintonia con la natura; se, invece, le metto le mani addosso sono un fetente e merito di essere arrestato.

Alcuni anni fa in televisione è avvenuta una specie di rivoluzione: sono state sostituite tutte le annunciatrici a cui eravamo abituati con delle ragazze molto giovani e quindi anche più carine. Queste ultime, in genere, le vediamo sedute su un divanetto salvo poi, dopo aver annunciato un programma, alzarsi in piedi e puntare un dito contro la telecamera. Ebbene, ci si chiede, perché hanno sostituito quelle di prima? Perché erano meno brave? Nossignore: semplicemente perché erano più anziane e quindi meno attraenti. Questa è purtroppo la legge spietata del tempo.

Alcune star famose, superata una certa età, hanno preferito scomparire dagli schermi se non addirittura dalla vita. La stessa cosa, invece, non accade agli uomini: Sean Connery, classe 1930, tanto per fare il primo nome che mi viene in mente, è considerato ancora oggi un sex symbol ed è pagato più di prima. Marilyn Monroe, al contrario, ha preferito morire piuttosto che far vedere la propria immagine imbruttita dal tempo.

Dell'intelligenza, invece, bella o brutta che sia, non gliene frega niente a nessuno.

XIII

Il pressappoco della religione

Premesso che, come già accennato, sono un pochino ateo, ho sempre considerato il paganesimo la forma più alta di religione mai esistita al mondo e quindi anche la più pressappochista. Come non innamorarsi di Minerva, Marte, Mercurio e Venere (e soprattutto Venere), ciascuno con la sua specialità e soprattutto con la sua statua di marmo? Avere molte divinità a portata di mano rende i fedeli più tolleranti e quindi anche più buoni. Le religioni monoteistiche, invece, quelle con un solo Dio in cima al gruppo, sono quasi sempre spietate, in particolare quando superano certi livelli di religiosità. In alcuni casi, infatti, sarebbe più giusto chiamarle fanatismi e non religioni. Io, in genere, diffido di tutti i religiosi. Dovendo fare un viaggio con qualcuno, preferirei mille volte la compagnia di un ateo che non quella di un religioso. Perfino il nostro Papa potrebbe crearmi dei problemi, se non altro per la conversazione. Sì, lo so: mi dicono che sia tanto una brava persona. Non può negare, però, di essere religioso.

Il cristianesimo, in verità, fra le tre grandi fedi monoteistiche è di certo la più tollerante. Non a caso Gesù perdona la Maddalena e il perdono è il primo requisito del pressappochista. Lei, la Maddalena, era ancora posseduta dal demonio quando vide Gesù scendere dalla Croce, ciò nonostante fu anche la prima a dargli una mano. Nessuno, poi, ha mai capito perché divenne la protettrice dei profumieri. Sarà perché il profumo è il pressappoco del buon odore.

Ora, però, sempre parlando di cristianesimo, la frase "Ama il prossimo tuo come te stesso" fu inventata da Gesù e ci fa capire fino a che punto è possibile fidarsi di un cristiano. Ciò nonostante, tutte le religioni, e il cristianesimo in particolare, sono andate maluccio nel pressappoco. Due sono le situazioni: o si crede o non si crede. Chi dubita, invece, come il sottoscritto, non può considerarsi un religioso. Il *dubito ergo sum* è il livello più alto a cui può arrivare un essere umano, salvo poi pentirsi non appena scopre che il Paradiso esiste davvero.

Io ho immaginato il mio ingresso in Paradiso e la

relativa litigata con il custode per ottenere il permesso di entrare. Citerei tutte le volte che avrei potuto comportarmi da fetente e che, invece, grazie a Dio, anzi grazie al pressappochismo, ho evitato di farlo.

Parlando, però, di religione, non posso non rivolgere un pensiero affettuoso a mia madre. Fatta eccezione per i santi, non credo sia mai esistita al mondo una persona più religiosa di mia madre. È tutto merito suo se mio padre non è finito all'Inferno. Papà, per quanto ricordi, non è mai riuscito a pronunciare una bestemmia sino alla fine. C'è sempre stato un "Sempre sia lodato" di mamma che lo salvava in extremis. Lui, poverino, a stento, riusciva a dire un "mannaggia".

Ora, però, riprendendo il tema che ci siamo posti, domandiamoci perché esistono le religioni. Che la voglia di credere si trovi in tutti gli esseri umani è un dato di fatto ed è naturale quindi che siano subito nati quelli che ne hanno approfittato. Non a caso il cristianesimo ha scelto come slogan il "Siamo nati per soffrire". In pratica, è quando si soffre che ci si rivolge a Dio, e allora perché non sfruttare la sofferenza come primo movente della fede?

XIV

Il pressappoco del tempo

Quando pensiamo a Einstein immaginiamo sempre di avere a che fare con l'intelligenza fatta persona e, di conseguenza, con il massimo della precisione. Ebbene, perché si sappia, se c'è stato qualcuno che ha messo in dubbio il concetto stesso di tempo e quindi di precisione è stato proprio Albert Einstein. Il fatto che non esista un tempo uguale in tutte le parti dell'Universo lo dobbiamo praticamente a lui. Ora, però, per non aumentare ancora di più il casino creato dalla teoria della relatività, cerchiamo di capire che cos'è il tempo e com'è che cambia da un punto all'altro dell'Universo.

Già tra Milano e Napoli ci sono delle differenze notevoli. A Milano se qualcuno vi dà un appuntamento alle sette davanti al Duomo, potete stare si-

curi che lo troverete sotto l'ingresso del Duomo alle
sette precise. A Napoli, invece, è tutto più relativo.
Innanzitutto non si dice "alle sette" ma *"a via d'e
sette"*, ovvero nei dintorni delle sette, come se le sette non fossero un'ora ma un luogo, e poi, dato il ca-
rattere approssimativo dei napoletani, l'appuntamento oscillerebbe tra le sette meno un quarto e le
sette e un quarto.

Non parliamo poi di quelli che abitano al Nord,
da Milano in su. Io, una volta ho raccontato di avere
avuto un appuntamento da una signora svedese alle 19.28. Questo particolare perché la signora voleva
avere due minuti di tempo tra un ospite e l'altro per
poter ricevere ciascuno con la massima cortesia.
Ovviamente fui puntuale, ma l'orario mi procurò
una grave apprensione. Fui costretto ad arrivare
con dieci minuti di anticipo, quindi a salire le scale
di corsa perché un maledetto signore aveva preso
l'ascensore prima di me.

Ora, però, cerchiamo di spiegare la relatività pre-
scindendo dai napoletani e dagli svedesi. Il lettore è
pregato di non spaventarsi nel vedere la formula
che ho riportato di seguito. Io gliela spiegherò, pian
pianino, partendo dal presupposto che lui non è un
matematico ma un grandissimo ignorante.

Ecco la formula:

$$t = 1 \text{ diviso radice quadrata di } 1 \text{ meno } v^2 \text{ diviso } c^2$$

e ci dice che la lancetta del nostro orologio non impiega un secondo esatto a percorrere lo spazio tra due lineette successive, bensì un secondo diviso una certa "roba" che compare sotto la linea della frazione. E più questa "roba" è alta, più l'orologio impiega un certo tempo a percorrere quel trattino.

Nella formula t è il tempo, v è la velocità con cui il lettore sta correndo, c è la velocità della luce.

La formula ci dice che il tempo impiegato dalla lancetta dell'orologio è tanto più lenta quanto più alta è la velocità con la quale lui, il lettore, attraversa lo spazio, e v^2/c^2 è il rapporto tra la nostra velocità al quadrato (che per quanto si possa correre è alquanto bassa) e la velocità della luce al quadrato che invece è altissima. In pratica v^2/c^2 è un valore quasi uguale a zero, ragione per cui 1 meno zero è uguale a 1, e 1 diviso 1 è sempre uguale a t.

Temo che sia difficile da capire. Voi, però, se mi volete bene, credetemi sulla parola.

Il lettore guarda il proprio cronometro e si chiede quando tempo impiega la lancetta dei secondi a percorrere lo spazio che intercorre tra due lineette successive. Così facendo scopre che la lancetta ci mette esattamente un secondo. E difatti *t* è uguale proprio a 1.

Sennonché interviene quel rompiballe di Einstein a dire: "Non è proprio un secondo, è pressappoco un secondo. È un secondo diviso tutta quella roba che sta sotto la linea di frazione".

Poi, come se non bastasse, ci si mette anche Henry Bergson. Per Bergson il tempo non è una dimensione che si misura con l'orologio, ma un'emozione, e ha dunque a che fare con gli stati d'animo. Una cosa, dice Bergson, sono dieci minuti trascorsi sotto il trapano del dentista, e una cosa gli stessi dieci minuti passati tra le braccia del proprio amore. Non a caso, quando si tratta del grande amore si dice che "il tempo è volato", mentre sotto il trapano non vola affatto.

XV

Il pressappoco delle scarpe

Una volta le scarpe, oltre a essere una calzatura, facevano parte del patrimonio personale. Costavano tanto che chi ne possedeva un paio di qualità lo conservava con la massima cura. Un graffio alla tomaia, un tacco troppo sottile, una suola bucata, rappresentavano solo un temporaneo contrattempo nella vita di una scarpa. Appena si rientrava a casa, eravamo abituati a togliercele per farle durare più a lungo.

Sto parlando di Napoli e della prima metà del Novecento. All'epoca, un paio di scarpe veniva usato fino alle sue estreme capacità di sopravvivenza. Non era la moda a sconfiggere un rapporto continuo, stavo per dire affettuoso, tra il proprietario e le scarpe.

Un giorno mia nonna mi disse: "Nennì, queste

sono le scarpe della buonanima del nonno. Tu vendile e comprati qualcosa di utile". Io ne ricavai sette lire o forse settanta lire. Adesso la cifra esatta non la ricordo, ma il sette ci stava. Ricordo, invece, il ciabattino a cui tentai di venderle. Me le buttò via con disprezzo e disse: "*Sì, so' sane, ma è come se fossero scassate. Qua basta 'na passeggiata pe' via Caracciolo e addio scarpe*".

Dal momento, però, che a questo mondo con c'è nulla di eterno, anche per le scarpe napoletane veniva il giorno dell'addio. Cercatori di roba vecchia, detti anche *saponari*, le riciclavano, e loro, le scarpe usate, messe nelle mani di autentici Barnard della calzatura, malgrado fossero state suolate e risuolate più volte, iniziavano una seconda vita. Curate con affetto, lucidate con attenzione, riposte nelle stagioni contrarie con adeguata imbottitura di carta di giornali, svernavano tranquille di essere riutilizzate ancora per un anno.

"Dotto'" diceva il venditore di scarpe usate, "queste sono un vero affare. Erano di un marchese che è dovuto partire all'improvviso per Milano e se le è dimenticate nell'armadio dell'albergo. Quello non se le è mai messe. Praticamente sono nuove."

A volte la sopravvivenza riguardava una scarpa

soltanto, scarpa che veniva messa in vendita nei pressi del Ponte di Casanova, accantò a una sua consimile, su un banchetto con davanti la scritta SCARPE SCOMPAGNATE. Il venditore incoraggiava il cliente dicendogli: "Dotto', quando camminate è praticamente impossibile poterle confrontare e questo perché una scarpa va avanti e un'altra resta indietro. Agli occhi di chi guarda sono identiche".

XVI

Il pressappoco della vecchiaia

È difficile stabilire da che età in poi si può chiamare vecchio un vecchio. Per alcuni sarebbero i cinquanta, per altri i settanta e per altri ancora i novanta. Tutto dipende da chi giudica. Per un giovane di quindici anni un quarantenne è già un vecchio decrepito. Per me che ho superato i settanta, il quarantenne è un ragazzino. Cerchiamo allora di stabilire di comune accordo quali sono le caratteristiche che definiscono la vecchiaia e vediamo se si tratta solo di deformazioni fisiche o anche di semplici stati d'animo.

Uno dei metri di misura potrebbe essere il rapporto con le donne: finché si riescono ad acchiappare ci si sente giovani. Purtroppo non è così: il rapporto viene condizionato da altri fattori e, tanto per citarne alcuni, dai soldi e dalla salute. Si dice che il miliardario Achille Lauro avesse tutte le donne che voleva, ma che non per questo si sentisse felice. Il giorno del suo novantesimo compleanno io, volendo fare il giornalista, lo andai a intervistare. Alla domanda: "Quanto pagherebbe per tornare a vent'anni?", lui mi rispose: "Tutti i soldi che ho per tornare a ottantanove".

Ora, solo per citare degli esempi di vecchiaia che mi sono vicini, provo a elencare alcuni inconvenienti che riguardano la mia persona. Il primo che mi viene in mente è che ho qualche problema a camminare a passo svelto. Tendo a trascinare i piedi. In particolare il sinistro. Lo scorso anno (settantotto compiuti) camminavo molto più in fretta. In effetti potrei farlo ancora, ma ci devo pensare. Devo dire a me stesso: "Alza di più la gamba e fa' il passo più lungo". Se ci penso non ho problemi, se non ci penso mi trascino.

Uno dei sintomi della vecchiaia è il non riuscire a sopportare le perdite di tempo. Stare due ore a vedere un film noioso è impossibile. Il ragionamento è più o meno questo: "Quanto mi resta da vivere? Mi conviene perdere due ore per questa schifezza?". La medesima cosa mi capita quando vado alla conferenza di un collega.

Il consiglio che mi sento di dare è di sedersi sempre nelle ultime file in modo da potersene andare senza farsi vedere.

XVII

Il pressappoco della pittura

L'Impressionismo è stato il pressappoco della pittura. Fino a quel giorno i pittori avevano sempre cercato di ritrarre il mondo così come lo vedevano, poi, tutto a un tratto, il modo di dipingere cambiò di colpo. I francesi, in particolare, ritrassero la natura non più com'era in realtà ma solo come a loro sembrava che fosse, e non a caso questo modo di dipingere fu chiamato Impressionismo. Monet, Manet, Degas, Pissarro e Renoir sembravano avere tutti una vista difettosa e dipinsero dei quadri che, visti a occhi semichiusi, trasmettevano le stesse emozioni che loro avevano provato quando li avevano dipinti. Infine, arrivarono i macchiaioli fiorentini e i paesaggisti napoletani della Scuola di Posillipo.

Io ho avuto la fortuna di avere sia un nonno sia

un padre pittori, e anch'io, relativamente parlando, mi diletto a disegnare. Papà, purtroppo, non potè soddisfare a pieno questa sua passione perché un giorno il nonno, avendolo scoperto in via Caracciolo mentre cercava di ritrarre il capo di Posillipo, gli strappò dalle mani la cassetta con i colori e gliela gettò in mare.

"*Si te vuò muri' 'e famme*" gli disse, "devi fare il pittore."

La passione, però, continuò a farsi sentire e, malgrado il fatto che per sopravvivere fu costretto ad aprirsi un negozio di guanti in piazza dei Martiri, continuò a frequentare i suoi amici pittori. Questi, allora, approfittando del fatto che il negozio era situato proprio al centro di Napoli, piazzarono tra un paio di guanti e un altro i loro paesaggi di colore azzurro detti anche *wash*. Ebbene, grazie a Dio, ancora oggi posseggo alcuni di questi piccoli capolavori.

In effetti, a inventare la pittura moderna è stata la fotografia. Fu infatti l'invenzione della macchina fotografica a modificare il modo di dipingere dei pittori. Che senso aveva, infatti, il riprodurre il mondo così com'era quando anche la peggiore delle macchine fotografiche riusciva a rappresentarlo molto più in fretta?

Da questa riflessione è nata la pittura moderna. Io, a dirla tutta, non mi sono mai lasciato sedurre dai quadri modernissimi. Quel dipinto di Lucio Fontana, per esempio, che consiste in uno sfregio praticato giusto al centro del quadro, mi ha sempre lasciato perplesso.

XVIII

Il pressappoco della dittatura

Ho avuto la fortuna o la sfortuna (dipende dai punti di vista) di conoscere il fascismo, ovvero il pressappoco della dittatura. A Napoli, nel retrobottega del negozio di mio padre, tra le tredici e le quindici, si radunavano tutti i commercianti di piazza dei Martiri con lo scopo preciso di raccontare le ultime barzellette su Mussolini.

Papà era l'unico che accennava una timida protesta. Interrompeva tutti urlando: "Ma lo volete capire o no che in questo negozio sono io il responsabile? Insomma, per forza mi volete far passare un guaio. Oggi pure i muri hanno le orecchie! Allora fatemi un favore: finite di raccontare quella di Hitler e Mussolini che si sono presi la polmonite e poi parliamo d'altro".

In venti anni di dittatura, però, che io sappia, nessuno è mai finito in galera per aver raccontato una barzelletta contro il fascismo, eppure Dio solo sa quante ne sono state inventate. Ora io non so se anche nelle altre dittature ci sia stata la stessa tolleranza umoristica. Certo è che noi italiani abbiamo vissuto la più gentile di tutte le dittature, o, se preferite, la più pressappochista delle dominazioni.

Un giorno mio padre fu convocato presso la sede del partito fascista in via Chiatamone.

«'Onn' Euge'» gli dissero, «qui si dice che voi fate propaganda antifascista.»

«Ma quando mai!» protestò subito mio padre. «Noi qui siamo tutti legati al Duce, dal primo all'ultimo.»

«E allora sapete fare anche il saluto fascista?»

«Certo che lo so fare.»

«E allora fatelo.»

Al che mio padre (almeno così mi è stato raccontato) si mise sull'attenti e fece un saluto fascista che più fascista non si sarebbe potuto immaginare.

Il raccontatore numero uno di quegli anni era un tale Gennarino Quagliarulo, di professione calzolaio. Alle tredici in punto don Gennarino chiudeva la bottega in via Chiatamone e si presentava nel cortile di piazza dei Martiri per iniziare il suo show. Neanche il tempo di guardarsi intorno e dava inizio alle barzellette contro il fascismo.

«Un giorno per sbaglio Hitler entrò in bagno e trovò Mussolini che si stava facendo il bidè. Benito, gli disse, mi hanno detto che...»

«Questa già la conosciamo» lo interrompeva don Saverio, di professione farmacista, «ma se proprio ti piace raccontare quelle vecchie, dicci quella dove Hitler s'incazza perché a lui lo avevano mandato all'Inferno e a Mussolini in Paradiso.»

Si narra che perfino Mussolini avesse un federale che gli raccontava le barzellette contro il fascismo. Si chiamava Peppino Esposito e veniva da Napoli, dal quartiere Sanità.

Il più grande di tutti gli antifascisti era un professore di filosofia del liceo Vittorio Emanuele. Più volte cercarono di convincerlo a indossare una divisa fascista, ma non ci fu nulla da fare. Il professore si dichiarò pronto a finire davanti a un plotone di esecuzione piuttosto che mettersi in camicia nera. La moglie fu convocata dal gerarca di Santa Lucia e inutilmente le fecero capire che un'eventuale conversione sarebbe stata premiata con un aumento di stipendio. Don Mimì si rivelò incorruttibile e quando a Napoli arrivò Hitler venne chiuso a chiave in casa e sorvegliato a vista. Su di lui venne scritto perfino il copione di un film intitolato *Una giornata particolare* con la regia di Ettore Scola.

A noi giovani, diciamo la verità, il fascismo piaceva. D'altra parte, mettiamoci nei panni di un adolescente dei primi anni Quaranta. Gli davano la divisa da balilla e il moschetto. Tutti i sabati, invece di obbligarlo ad andare a scuola, lo mandavano all'adunata dove aveva modo d'incontrare le "giovani italiane". Si trattava di fanciulle di eccezionale bellezza con la gonna nera e la camicia bianca che, a differenza delle loro coetanee, avevano il permesso di restare fuori casa fino alle sei del pomeriggio.

Io ricordo che mi fidanzai con una giovane italiana di quattordici anni, di nome Anita, e una sera ci siamo dati anche un bacio senza lingua.

XIX

Il pressappoco del dolore

Anche il dolore ha il volume. Né più né meno di una radio o di un televisore. Lo si avverte più forte o più debole a seconda dell'attenzione.

Supponiamo di doverci fare un'iniezione: stiamo sdraiati sul letto a testa in giù in attesa che l'infermiera ce la faccia e pensiamo "adesso me la fa, adesso me la fa". Ebbene, in una situazione del genere il dolore raggiunge il suo massimo. Se invece ce la facessero all'improvviso, senza preannunziarla, non ce ne accorgeremmo neppure. Più volte ho proposto ai dentisti di posizionare sotto il soffitto, lì nel punto dove il cliente è solito guardare, uno schermo televisivo che proietta un film di Totò. Distrarsi è il primo sedativo da usare.

Considero il dolore il più grande nemico dell'essere umano. In genere si divide in due parti. Una parte se la prende quello che soffre e un'altra chi vuol bene alla persona sofferente. A Falluja, in Iraq, sono morti diciotto soldati italiani per colpa di un kamikaze. Ebbene, perché si sappia, non hanno sofferto nemmeno un minuto: sono morti tutti all'improvviso. Il dolore si è riversato per intero sui loro parenti.

La ghigliottina non è mai stata una punizione terribile. Tremenda era solo l'attesa, il salire sul palco, il rumore della lama che saliva, l'urlo della folla, il pianto dei parenti e via dicendo.

XX

Il pressappoco del bacio

Abbracciarsi è bello. A volte è anche più bello del fare all'amore. Tanto per dirne una, quando ci si abbraccia si sorride, mentre quando si fa del sesso si resta seri. E a questo proposito mi sono sempre chiesto il perché durante un rapporto sessuale siamo così seri. Mai una volta che ci scappi una risata! Sia l'uomo sia la donna sono concentrati al massimo su quello che stanno facendo ed è quasi impossibile che uno dei due si metta a ridere. Che sia il nostro subconscio a farsi condizionare dall'idea del peccato?

Certo è che la Chiesa, a differenza dell'antica Roma, per secoli ci ha tormentato con la sua avversione per il sesso. Gli antichi a questo proposito erano molto più allegri. Leggendo il *Simposio* di Platone non ho mai avvertito in nessuno degli invitati il minimo di senso di colpa.

Eppure anche l'affetto dovrebbe avere un suo pressappoco.

Con le amanti non esiste, con gli amici, invece, c'è qualcosa che potrebbe aspirare a essere una specie di pressappoco, ed è il caffè. Ci s'incontra per strada e la prima cosa che ci viene in mente è quella di prenderci un caffè.

"Ué, come stai? Da quanto tempo non ti vedo. E tua moglie come sta? E i bambini? Andiamoci a prendere un caffè."

Il caffè in pratica è il pressappoco del bacio.

Esistono vari tipi di caffè: c'è quello tedesco che non è un vero messaggio d'amore e c'è quello napoletano che si fa ricordare anche un'ora dopo averlo preso. L'importante è prenderlo insieme mentre ci si guarda negli occhi.

XXI

Il quasi

Il quasi è il pressappoco del pressappoco. A inventarlo fu un certo Zenone di Elea, nato nel 500 avanti Cristo, secolo più secolo meno. Quel giorno Zenone, per stupire i filosofi ateniesi che lo guardavano con un po' di puzza sotto il naso, dimostrò come nemmeno il pie' veloce Achille, per quanto veloce, riuscirebbe a raggiungere la più lenta delle tartarughe.

Ed ecco grosso modo quello che disse: Achille sta nel punto A e la tartaruga nel punto B. Ma mentre Achille velocissimo si sposta da A a B, la tartaruga, per quanto lenta la si possa immaginare, raggiungerà il punto C e quando Achille arriverà nel punto C la tartaruga avrà raggiunto di sicuro il punto D. La medesima cosa capiterà allorché Achille raggiungerà il punto D e così di seguito.

In teoria, Achille non raggiungerà mai la tartaruga, anche se in pratica l'acchiapperà e le darà tutti i calci che si merita. Proprio a voler essere gentili, potrà dire di averla "quasi" raggiunta.

Ebbene, io nella vita, almeno da giovane, ho conquistato *quasi* molte donne. Le ho viste, ho fatto loro la corte, e sono arrivato, sempre *quasi*, ad averle possedute.

Le uniche, però, con le quali ho fatto l'amore sono state quelle delle case di tolleranza. Il fatto è che, almeno ai miei tempi, era praticamente impossibile andare a letto con una bella fanciulla. La verginità, all'epoca, per le mie coetanee, era un valore indispensabile.

Un giorno mi fidanzai con tale Brigida Anselmi (il nome è inventato per ovvi motivi) e stetti con lei due anni di seguito. In pratica facemmo di tutto senza, però, mai consumare. E non a caso per indicare il rapporto sessuale viene usato il verbo consumare, se non altro perché nella maggior parte dei casi il rapporto intimo finisce con il "consumare" l'amore, mentre il semplice desiderio non può che aumentarlo.

XXII

Lo zero

Come già accennato nel capitolo X, ci sono numeri interi, numeri frazionari, numeri primi, numeri negativi, numeri positivi, numeri razionali, numeri irrazionali e via dicendo, ma che io sappia non c'è alcun numero uguale a zero e alcun numero uguale a infinito: questo sempre se per numero s'intende una cosa che è possibile sommare, dividere, sottrarre e moltiplicare. Ripetiamo che qualsiasi numero moltiplicato per zero è uguale a zero e qualsiasi numero moltiplicato per infinito è uguale a infinito.

Quello che non si è mai capito è quanto fa zero per infinito. Non credo, per esempio, che sia mai esistito l'anno zero. Se tutti pensano che Gesù sia nato il 25 dicembre, allora dobbiamo immaginare che sia nato cinque giorni prima della fine dell'anno e quindi nell'anno "meno uno". Lo zero, in effetti, non esisteva né nell'antica Roma né nell'antico Egitto. Furono gli arabi i primi a tirarlo in ballo e precisamente in India nell'VIII secolo dopo Cristo. Fino a quel momento, quando si doveva fare riferimento a qualcosa di molto piccolo, si era soliti usare la parola *nihil,* ovvero "nulla".

Lo stesso dicasi per il pressappoco. Che esista non ci sono dubbi, ma che esista anche il pressappoco del pressappoco è alquanto difficile da immaginare.

Una volta al liceo ebbi zero in storia dell'arte. Le cose andarono grosso modo nel modo seguente.

La professoressa di Storia dell'Arte, la signorina Girosi, ci portò a visitare Pompei ed Ercolano, e sarebbe stata anche una bellissima gita se la signorina non ci avesse continuamente interrogato. Ogni volta che c'imbattevamo in un capitello, lei, puntando un dito contro il rudere, chiedeva: "Ionico o corinzio?". Dopodiché ci dava un voto. Guai a sbagliare. Sennonché, una volta fattosi mezzogiorno, chiedemmo alla signorina Girosi di poter andare tutti allo stabilimento REX di Portici per farci il bagno.

"Signorina, fa troppo caldo" le dicemmo, "bisogna buttarci in acqua."

"D'accordo" rispose lei "e lo faccio anche con piacere dal momento che sono un'ottima nuotatrice. A diciotto anni vinsi i campionati di nuoto delle magistrali a Bacoli."

Quella mattina, poi, una volta entrati nello stabilimento, la Girosi si tuffò in acqua e in pochi minuti la vedemmo allontanarsi. Nuotava come il famoso Wertmuller. Purtroppo, però, accadde un fatto incredibile; il mio compagno Mautone (l'ultimo della classe) entrò nella cabina della signorina Girosi e con la macchina fotografica della professoressa si autofotografò gli organi genitali, motivo per cui quando la signorina Girosi andò a sviluppare il rullino, accanto ai capitelli di Ercolano e di Pompei trovò anche il "capitello" di Mautone.

A quel punto accaddero cose inaudite! Il preside, non potendo fare per ovvie ragioni un confronto all'americana, disse che se non avessimo denunciato il colpevole ci avrebbe rimandato tutti a ottobre. Naturalmente nessuno parlò e io fui rimandato. L'unica volta nella mia vita da studente.

XXIII

La fotografia

La fotografia è il pressappoco del movimento e il movimento, per quanto breve si possa immaginare, dura almeno qualche secondo. La fotografia, invece, dura un attimo. A Napoli si dice: "Non fai a tempo a dire amen che già è scattata". Ebbene, perché si sappia, la mia vita è stata segnata dalla fotografia. Tutto accadde un giorno per colpa, anzi per merito, di uno sciopero della funicolare. Quella mattina fui costretto a scendere a piedi dal Vomero. Lungo i gradoni di Chiaia vidi un disgraziato buttato per terra con davanti la scritta RIDOTTO IN QUESTO STATO DAL COGNATO. Vederlo e fotografarlo fu un tutt'uno. Il giorno dopo, però, mi venne la curiosità di sapere che diavolo avesse fatto questo maledetto cognato. Scesi di nuovo sul posto, ma lui non c'era. Inutilmente chiesi in giro chi fosse. Tutti lo avevano visto, ma nessuno seppe dirmi chi era. Ancora oggi spero che qualcuno si faccia vivo con una telefonata. Ed è stato così che è nata la mia passione per la fotografia.

D'altra parte già da piccolo cantavo una canzoncina che diceva:

> Ta vuò fa fa' 'na fo'
> ta vuò fa fa' 'na fo'
> ta vuò fa fa' 'na fo'
> bellezza mia.
>
> Te mett'a fuoco e tac
> te piglio ca Kodak
> fatte fa' fo'
> fatte fa' fo'
> fatte fotografà.

E il "fatte fa' fo'" aveva, almeno per me, un doppio significato, uno osceno e uno normale.

La seconda foto che mi sedusse, a cui debbo la svolta da ingegnere a scrittore, fu quella delle PUTTANE VERE. All'epoca eravamo invasi dai travestiti. Un mio amico, frequentatore abituale di prostitute, si ritrovò un giorno a letto con un giovanotto di buona volontà. A suo dire, si trattò di un dramma indescrivibile, anche se l'abilità del partner gli rimase nell'animo per tutta la vita. Da qui il bisogno di distinguere le professioniste dai professionisti.

E, infine, un'altra foto, che ritrae l'annunzio funebre da me scoperto tra i vicoli del Pallonetto di Santa Lucia. Il cartello diceva: A 101 ANNI SI È SPENTO SERENAMENTE LUIGI ESPOSITO. E subito sotto qualcuno, evidentemente dotato di senso dell'humour, aveva scritto: "*E vulevo vedè ca faceva pure storie!*".

Queste foto mi convinsero a usare la macchina fotografica per raccontare la mia città; e per non litigare con i personaggi fotografati fingevo ogni volta di essere tedesco. Fotografavo e dicevo: "*Danke schön, danke schön*". Qualcuno rispondeva: "*Bitte*", ma nessuno protestava.

Un giorno, infine, andai a Milano, alla Mondadori, e chiesi a un signore chiamato Paolo Caruso di pubblicare un libro di foto sulla vecchia Napoli. Lui mi rispose che i raccontini gli andavano benissimo, ma che il libro con le foto non era pubblicabile, dal momento che in Italia i libri di foto non se li comprava nessuno. Nacque in questo modo *Così parlò Bellavista*.

«Il pressappoco»
di Luciano De Crescenzo
Collezione I libri di Luciano De Crescenzo

Arnoldo Mondadori Editore S.p.A.

Finito di stampare nel mese di aprile 2007
presso Mondadori Printing S.p.A.
Stabilimento NSM di Cles (TN)

Stampato in Italia - Printed in Italy

PUTTANE
VERE